四書的智慧

（修訂版）

王開府　著

為報養育之恩，謹以本書為　家父九十大壽之獻禮

目錄

【孟子的智慧】

陳序

《大學》、《中庸》、《論語》和《孟子》，本來是各自成篇、成書的。其中《大學》和《中庸》，原爲《禮記》之第四十二與三十一篇，而《論語》和《孟子》則分別單行，受到學者的推崇。到了宋代，起先是二程子將《大學》與《中庸》從《禮記》中抽出，與《論語》、《孟子》並行，以「表章」它們，再經朱熹爲它們作章句、集註，通稱爲《四書集註》，然後由元仁宗開制度之先，將《四書》定爲科學命題的用書，於是不但成了學者研究孔學的要籍，也成爲一般讀書人所必讀的書了。

這本書所以會受到如此之重視，最主要是由於它確實薈萃了孔門思想精華的緣故。衆所周知，孔子是主張學者由智而仁，以達於仁智合一的至善境界的。這種思想，除了在《論語》一書的談仁、談知（智）和談孝、忠、直、道、禮、學等篇章中得到基本的闡釋外，也在《大學》、《中庸》與《孟子》三書中分別作了進一步的發揮，譬如《大學》主張人要由格物、致知（智）而誠意、正心、修身、齊家、治國、平天下（仁），以至於「至善」；《中庸》就「教」的一面，主張人要由「明」（智）而「誠」（仁），以達於「至誠」；《孟子》主張人要先「知言」（智）而後「持志」（仁）、「養勇」，以臻於「仁且智」，都足以看出這種思想的一貫性，也由此呈現出孔學最高的智慧。

王教授開府先生浸淫於孔學多年，近年來又兼研佛學，皆有很深的造詣，這樣由「殊塗」而求「同歸」，由「百慮」而求「一致」，無論對孔學或佛學而言，都別有深一層的心得。因此在前年，於取得國文天地雜誌社社長許錟輝先生的同意後，就由我商請王教授在《國文天地》闢一專欄，以「四書的智慧」爲名，把他研究《四書》的深一層心得公開出來，以饗讀者，很感謝他欣然應允了。首先他以孔子的爲人、孔門弟子與論學、仁、孝、道德修養、士、君子、詩禮樂、教育、政治、古今人物等各方面，探討《論語》之智慧；再從孟子的抱負與他對性善、義利、涵養、教學、治道、尚論古人等問題的主張，以探討《孟子》的智慧；然後論《大學》的智慧與《中庸》的智慧。這樣逐書、逐項地探討，可謂體大而思精，充分凸顯了《四書》的智慧。

很高興的是，這次萬卷樓應廣大讀者的要求，特地將王教授這些在《國文天地》分期發表的文章集結成書，並附以王教授歷年來所發表的相關論文，相信對《四書》的教學與研究，將有莫大助益。爲此在它出版前夕，略誌數語，以表示慶賀的意思。

陳滿銘 謹序於國立臺灣師範大學
民國八十四年七月廿八日

自序

王開府

《四書》蘊含著極爲可貴的人生智慧，本來應該一章章完整地誦讀，好好地溶入生活中來體會；但是對於初學者來說，章句中出現的字詞，特別是遍及《四書》全書的許多重要概念，即使借助古今的注釋，未必能明確地掌握其意義。

譬如，《論語》首章「學而時習之」「人不知而不慍，不亦君子乎？」這裡的「學」和「君子」兩個概念，在字面上似乎很容易懂，但是如果進一步問：孔子要弟子學什麼？如何學？學習的態度如何？學習原則爲何？那種人可以稱爲君子？君子和小人的分別何在？君子和仁人、聖人有何不同？這些問題都不是根據一、兩節章句就能回答的。

古今的著述或許也曾爲這些問題作出解答，不過，這些解答是否合於孔子的原意，還是必須根據他自己的話來檢證。所以，比較可靠的方法是：依據《論語》所記載孔子的話，來詮釋他所使用的概念。要是某章的概念含義不明確，就根據其他章有關的語句來作詮釋。如果找不到孔子其他的語句，則借助《論語》中孔子弟子的說明。再其次，參酌《孟子》或《大學》《中庸》的語句。這種詮釋的方法，叫「以經解經」。本書所採用的，就是這種方法。

因爲文獻記載與傳抄，可能失眞或不完整，「以經解經」的方式，未必能充分掌握概念的原意。更何況，透過現代人的思維，去分析、綜合古籍的章句，難免自我作古，造成詮釋上的偏差。把「我認爲古人應該如此說」，視爲「古人本來如此說」。然而，除非我們親自回到古代，當面請問孔子，否則還找不到比「以經解經」更好的方法。孔門弟子對於師說，也難保沒有異解，現代人祇能在文獻中綜匯各種資料，作較合理、近實的詮釋。經比對不同章句的表達後，使詮釋的誤差儘可能地縮小。

本書儘量遵守「以經解經」的方法，所以較少引用古今的注釋或有關的成說。爲了比對不同章句，徵引原典不厭其繁，尚請讀者見諒。

詮釋不同於注釋，本書的目的不祇解釋概念，更要藉著對重要概念的詮釋，以理解章句所表達的思想，再透過不同章句的聯繫、互證，進而探索《四書》所蘊含的智慧。

本書所詮釋的概念或項目，係依據現行「高中國文」「中國文化基本教材」之分類標題而訂，並補入「國中國文」所選有關《四書》的部分，希望對中學的教學有所助益。詮釋這些概念或項目時，爲完整地討論《四書》全書所涉及的內容，因此徵引的原典，不限於《中國文化基本教材》所選用之章節。

書後的附錄，是集錄筆者有關的論述，謹供參考。

本書的正文原先分期在《國文天地》連載，筆者所以敢於作這樣的嘗試，是緣於好友陳滿銘教授的鼓勵，特爲感謝。此外，也感謝國文天地雜誌社同意將拙作結集出版。筆者才學淺陋，冒昧著述，必有不少闕誤，尚祈　諸方賢達不吝指正。

再版序

宋儒張橫渠曾說：「某觀〈中庸〉義二十年，每觀每有義。」筆者每年教授「宋明理學」時，所熟悉的《四書》義理，也會不知不覺隨口說出，而不斷有一些新的體會。尤其在跳脫章句註釋之解說時，反而能根據自己的體驗，親切地說出經典的義蘊。越發覺得聖賢之學，果眞是來自生活的具體智慧，而非某種抽象理論的建構。

筆者雖自慚德薄學疏，偶而一點靈光「不思而得」，卻也頗爲喜出望外。特別是對佛學有少許了解後，回過來看儒學，即使發現儒學有所不足，但絕對肯定孔孟思想有不可取代的精義。

凡是來自生活的智慧，必有其眞理性。不過，生活的智慧一旦說出，即被語言所限定；而且，後人由言說中理解聖賢的義理，不免受自己的思路與習氣的制約，更加一重限定。要不被這兩重限定所困，必須回到眞實的生活中，重新發現那文字表達前的具體智慧。有人問宋儒陸象山之學來自何處，象山說：「因讀孟子而自得之。」雖讀孟子，卻非得之於孟子，實在耐人尋味。所謂「自得」，豈不是得自個人的眞實生活。

想了解聖賢的智慧，不得不透過言說、文字；但智慧其實是在言說、文字之外。如果執定有形的文字表達，以爲即能探驪得珠，失之遠矣！《金剛經》說：「法尚應捨。」揆之儒學，理無二致。

値此拙作《四書的智慧》再版之際，謹贅數語爲序。此次再版，爲縮減全書的篇幅，將第一版附錄的舊作全數抽出，僅補入近作〈孔孟的生死觀〉一文。

論語的智慧

孔子之爲人

一、孔子之志

談孔子的爲人，可以從孔子的志向或抱負談起。請先看以下極爲有名的一章：

顏淵、季路侍。子曰：「盍各言爾志？」子路曰：「願車、馬、衣、輕裘，與朋友共，敝之而無憾。」顏淵曰：「願無伐善，無施勞。」子路曰：「願聞子之志！」子曰：「老者安之，朋友信之，少者懷之。」（〈公冶長〉）

由子路、顏淵和孔子的言志，可以看出三人境界的高低。子路只注意到物質生活上，與人分享，這是物質上的無我。顏回進一步能做到不自誇，不居功，這是表現人際關係的謙抑，在道德生活上對自我作反省，但卻不免時時仍以自我爲念慮之對象。

朱子解釋孔子之志，有兩種說法：「老者，養之以安；朋友，與之以信；少者，懷之以恩。一說：安之，安我也；信之，信我也；懷之，懷我也，亦通。」不論那一種說法，都顯示孔子關懷一切人的幸福，卻不只由自己能做什麼來思考。他所關心的是理想社會的實現（老安、友信、少懷，或安我、信我、懷我），而非自己能做到什麼地步，由此顯現他無限的願力。我們看一個人的志向，正應從他的願力看，而非從他對自己能力的評估看。願力的無限是指：不因個人能力之考慮，而對自己的志願設限。個人的能力對實現理想來說總是有限，但當集合無數的個人去努力時，理想的實現便非不可能。由願力的著眼點之不同，可以看出二子不及孔子之處。

程子說顏回「其志可謂大矣，然未免出於有意也。……觀聖人之言，分明天地氣象。」這樣由「有意」「無意」來區別顏回和孔子之志，不免落入玄談。孔子的「天地氣象」，應由他願力的無限上說，不由「無意」上說。

另外有一章，孔子也讓子路、曾皙、冉有、公西華四人談抱負。對四人所談，孔子只稱許曾皙：

「點，爾何如？」鼓瑟希，鏗爾，舍瑟而作，對曰：「異乎三子者之撰。」子曰：「何傷乎！亦各言其志也。」曰：「莫春者，春服既成；冠者五六人，童子六七人，浴乎

沂，風乎舞雩，詠而歸。」夫子喟然嘆曰：「吾與點也。」（〈先進〉）

曾晳的一段話，勾勒出一幅理想的社會圖象。他也不談自己能做什麼，而只談理想的社會是什麼。這和其他三人純就自己的能力來談，其著眼點截然不同，所以曾晳自稱「異乎三子者之撰」。孔子稱許他也在這點上。朱子說曾晳：「其言志，則又不過即其所居之位，樂其日用之常，初無捨己爲人之意。……故夫子歎息而深許之。」這些話又從「無意」（無舍己爲人之意）上立論，多少帶些老莊的意味。其實，孔子的喟然而嘆，一方面是讚嘆曾晳志願的宏大，與自己不謀而合；一方面恐怕也是感嘆這樣的宏願不易實現，或者曾晳之學不足以承擔這樣的志願吧！

偉大的理想，必須經由「學」以成之，孔子說：「吾十有五而志于學。」（〈爲政〉）至於「學」什麼？「學」的目的何在？孔子說：「君子學道則愛人。」（〈陽貨〉）又說：「朝聞道，夕死可矣！」（〈里仁〉）

孔子曾說：「富而可求也，雖執鞭之士，吾亦爲之。如不可求，從吾所好。」（〈述而〉）又說：「飯疏食，飲水，曲肱而枕之，樂亦在其中矣。不義而富且貴，於我如浮雲。」（〈述而〉）孔子志不在富貴，而係別有「所好」。至於所好所樂者何？由以上孔子之言志，實不難得知。

二、孔子的自我評量

要了解孔子的爲人，還可以從孔子的自我認識或評量，得到一些線索。先看以下幾章：

子曰：「十室之邑，必有忠信如丘者焉，不如丘之好學也。」（〈公冶長〉）

子曰：「述而不作，信而好古，竊比於我老彭。」（〈述而〉）

子曰：「我非生而知之者，好古敏以求之者也。」（〈述而〉）

子曰：「蓋有不知而作之者，我無是也。」（〈述而〉）

子曰：「默而識之，學而不厭，誨人不倦，何有於我哉？」（〈述而〉）

子曰：「若聖與仁，則吾豈敢！抑為之不厭，誨人不倦，則可謂云爾已矣！」公西華

曰：「正唯弟子不能學也。」（〈述而〉）

葉公問孔子於子路，子路不對。子曰：「女奚不曰：『其為人也，發憤忘食，樂以忘憂，不知老之將至云爾。』」（〈述而〉）

子曰：「不怨天，不尤人，下學而上達，知我者，其天乎？」（〈憲問〉）

由以上幾章可以看出，孔子自許異於人之處，不在忠信，而在好學。而好學正是：永遠不以所學爲已足。因此，孔子在爲學、修德方面，又表現一種謙虛的態度。如以下各章：

子曰：「德之不脩，學之不講，聞義不能徙，不善不能改，是吾憂也。」（〈述而〉）

子曰：「吾有知乎哉？無知也。有鄙夫問於我，空空如也，我叩其兩端而竭焉！」（〈子罕〉）

子曰：「君子道者三，我無能焉：仁者不憂，知者不惑，勇者不懼。」子貢曰：「夫

子自道也。」（〈憲問〉）

子曰：「文莫，吾猶人也；躬行君子，則吾未之有得。」（〈述而〉）

這些孔子的自白，不是故示謙虛，而是眞正了解自己有所不足。也就是因爲如此，他才能在學行上不斷有所進步。但在一些具體的德行上，孔子也對自己所能做的，表現出相當的自信與把握，如以下二章：

子曰：「出則事公卿，入則事父兄，喪事不敢不勉，不為酒困，何有於我哉？」（〈子罕〉）

子謂顏淵曰：「用之則行，舍之則藏，惟我與爾有是夫！」（〈述而〉）

在爲政的才學方面，孔子也有過人的自我期許，如：

子曰：「苟有用我者，期月而已可也，三年有成。」（〈子路〉）

公山弗擾以費畔，召。子欲往。子路不說曰：「何必公山氏之之也？」子曰：「夫召我者，而豈徒哉？如有用我者，吾其為東周乎？」（〈陽貨〉）

孔子由於好學不厭，所以能在自謙之中，又充滿自信，這正孔子爲人的一大特色呢！孔子曾自述由十五歲到七十歲的努力過程和成就，他對自己的修學歷程十分清楚，對一生的造詣也如實地自我肯定，這不是一般人做得到的。

除了孔子的自我評量之外，當然也有弟子對他的稱美之辭，以及若干隱者對他的評論，或褒或貶，因各有其立場，在此不再贅述了。

三、孔子的言行、風範

其次，由孔子日常生活的點點滴滴，也可以看出孔子的爲人。孔子的生活起居、待人接物，在《論語・鄉黨》篇中有生動的記載。孔子不論在食、衣、住、行，言談、舉止，都進退得度，恰如其分。他一方面態度敬愼合禮；一方面也適時展現了和顏悅色。弟子說他：「溫而厲，威而不猛，恭而安。」（〈述而〉）眞是觀察入微。

除了〈鄉黨〉篇外，其他的篇章也對孔子的行事，作比較零星但卻也頗爲生動的記述，如：

子與人歌而善，必使反之，而後和之。（〈述而〉）

子食於有喪者之側，未嘗飽也。子於是日哭，則不歌。（〈述而〉）

原壤夷俟。子曰：「幼而不孫弟，長而無述焉，老而不死，是為賊。」以杖叩其脛。（〈憲問〉）

從這幾章可看出孔子的眞性情，表現在待人處世的喜、怒、哀、樂各方面。孔子待人的寬厚風範，又可以下面兩章見之：

子謂公冶長：「可妻也，雖在縲絏之中，非其罪也。」以其子妻之。（〈公冶長〉）

互鄉難與言。童子見，門人惑。子曰：「與其進也，不與其退也。唯何甚！人絜己以進，與其絜也，不保其往也。」（〈述而〉）

孔子在莊重中，有時也顯現出幽默感，如：

子之武城，聞弦歌之聲。夫子莞爾而笑曰：「割雞焉用牛刀？」（〈陽貨〉）

達巷黨人曰：「大哉孔子，博學而無所成名。」子聞之，謂門弟子曰：「吾何執？執御乎？執射乎？吾執御矣！」（〈子罕〉）

在對待動物方面，孔子是：「釣而不綱，弋不射宿。」（〈述而〉）孔子仁心在此自然流露。但儒家倫理仍然是以人爲本位，這在另一章更爲明顯：「廄焚。子退朝，曰：『傷人乎？』不問馬？」（〈鄉黨〉）

弟子在描述孔子的爲人時，另外指出一個特色，也很值得重視，即：「子絕四：毋意，毋必，毋固，毋我。」（〈子罕〉）這樣無執的生活風範，可以由孔子自己話得到印證，如：

子曰：「君子之於天下也，無適也，無莫也，義之與比。」（〈里仁〉）

子曰：「可與共學，未可與適道；可與適道，未可與立；可與立，未可與權。」（〈子罕〉）

子曰：「麻冕，禮也，今也純儉，吾從眾。拜下，禮也，今也拜乎上，泰也。雖違眾，吾從下。」（〈子罕〉）

孔子認為只要合於義，君子對天下任何事，沒有一定不變的作法，這也叫做「權」。譬如，同是「禮」，孔子有的主張遵今、從眾，有的又主張遵古、違眾，這就考慮到「權」了。

此外，孔子對古代隱逸之士，各有稱許，但他又自謂：「我則異於是，無可無不可。」（〈微子〉）孔子的這種態度，後來孟子大加讚美，稱之為「聖之時者也」。孔子自己曾以「中庸」為「德」之「至」（〈雍也〉），可惜《論語》中未進一步說明何謂「中庸」。到了《中庸》一篇才以「時中」作明確的闡釋。孔子的「無可無不可」正是「時中」的表現。

四、孔子對鬼、神、天、命的態度

關於孔子的為人，除了由待人接物中體會外，又可由他對鬼、神、天、命的態度見之。在對鬼神的態度方面，可參考以下各章：

子不語：怪、力、亂、神。（〈述而〉）

季路問事鬼神。子曰：「未能事人，焉能事鬼？」「敢問死？」曰：「未知生，焉知死？」（〈先進〉）

子曰：「非其鬼而祭之，諂也。」（〈為政〉）

祭如在，祭神如神在。子曰：「吾不與祭，如不祭。」（〈八佾〉）

子曰：「務民之義，敬鬼神而遠之，可謂知矣！」（〈雍也〉）

孔子祭鬼神，但敬而遠之，並不事奉鬼神。

孔子「五十而知天命。」（〈爲政〉）他對「天」也相當尊敬，如說：「大哉堯之爲君也，巍巍乎唯天爲大，唯堯則之。」（〈泰伯〉）又說：「天何言哉？四時行焉，百物生焉，天何言

哉?」(〈陽貨〉)他認為自己的道德是得之於天,所謂:「天生德於予!桓魋其如予何?」(〈述而〉)

孔子「畏天命」(〈季氏〉),「不怨天」(〈憲問〉),不「欺天」(〈子罕〉),甚至說:「知我者,其天乎?」(〈憲問〉)他見南子後,因子路不悅,情急之下也會發誓說:「予所否者,天厭之!天厭之!」(〈雍也〉)顏淵死時,孔子則傷心欲絕說:「噫!天喪予!天喪予!」(〈先進〉)當他被匡人逼迫情況危急時,就把自己付託給天,說:「文王既沒,文不在茲乎?天之將喪斯文也,後死者不得與於斯文也;天之未喪斯文也,匡人其如予何?」(〈子罕〉)孔子對天的尊敬,是融入在他的生活之中,成為生活中很重要的一部分。

由孔子對於鬼神與天的尊敬,不能說他沒有很深的宗教情懷,但是這並未使他成為宗教的信徒,這可由以下一事得證:

子疾病,子路請禱。子曰:「有諸?」子路對曰:「有之。誄曰:『禱爾于上下神祇。』」子曰:「丘之禱久矣!」(〈述而〉)

孔子敬鬼神,卻不祈求神來解決自己的問題。人可以做的是遵守道德,否則:「獲罪於天,無所禱也。」(〈八佾〉)既然道德無虧,不獲罪於天,更不用禱了!

孔子也承認有「命」，如：

伯牛有疾，子問之，自牖執其手，曰：「亡之，命矣夫！斯人也而有斯疾也！」（〈雍也〉）

子曰：「道之將行也與，命也；道之將廢也與，命也。公伯寮其如命何？」（〈憲問〉）

子曰：「不知命，無以為君子也。」（〈堯曰〉）

子曰：「鳳鳥不至，河不出圖，吾已矣夫！」（〈子罕〉）

「命」代表客觀的限制，這是任何人在現實生活中不得不承認的事。但這並不說孔子是個定命論者，因爲「命限」並不等於「命定」。再請看下一章：

子曰：「南人有言曰：『人而無恆，不可以作巫醫。』善夫！『不恆其德，或承之

羞。』」子曰：「不占而已矣！」〈子路〉

由此可知，做人的本分在「恆其德」，卻不在「占」問吉凶。孔子的爲人，必以道德爲依歸，即使面對鬼、神、天、命時也是如此，這是始終一貫的。在古今中外的聖哲中，孔子爲人的特色也正在此！

論學

一、爲何學？

孔子自述：「吾十有五而志於學；三十而立；四十而不惑；五十而知天命；六十而耳順；七十而從心所欲，不踰矩」（〈爲政〉）他一生的成就都是由「學」所奠定。由十五歲的立志爲學，到七十歲成聖，正是他不斷學習的歷程。他一方面常常自我惕勵說：「德之不脩，學之不講，聞義不能徙，不善不能改，是吾憂也。」（〈述而〉）一方面又很自信地說：「十室之邑，必有忠信者如丘者焉；不如丘之好學也。」（〈公冶長〉）「默而識之，學而不厭，誨人不倦，何有於我哉？」（〈述而〉）孔子認爲不肯學的人，是屬於最下等的，他說：「生而知之者，上也；學而知之者，次也；困而學之，又其次也。困而不學，民斯爲下矣！」（〈季氏〉）

孔子所以如此好學，因爲他不自視爲「生而知之者」，而係「好古敏以求之者」（〈述而〉）

他認爲「學」比「思」更重要，他說：「吾嘗終日不食，終夜不寢，以思；無益，不如學也。」（〈衞靈公〉）即使年近半百，還是不斷地學習，他說：「加我數年，五十以學易，可以無大過矣。」（〈述而〉）

孔子不但以學自勵，也以學來勉勵學生。他告訴學生：「古之學者爲己，今之學者爲人。」（〈憲問〉）學的目的是爲了自我的成長，而不是爲了別人的讚賞，因此即使別人不了解我，也不必懊惱，所謂「人不知而不慍，不亦君子乎？」（〈學而〉）

學的目的應是非私利性的，孔子說：「君子謀道不謀食。耕也，餒在其中矣；學也，祿在其中矣。君子憂道不憂貧。」（〈衞靈公〉）又說：「士志於道，而恥惡衣惡食者，未足與議也。」（〈里仁〉）一般人卻往往在學習時，漸漸地摻入了私利心，因此孔子特別警惕弟子說：「三年學，不至於穀，不易得也。」（〈泰伯〉）

對於學的用處，孔子有所謂「六言六蔽」說：「好仁不好學，其蔽也愚；好知不好學，其蔽也蕩；好信不好學，其蔽也賊；好直不好學，其蔽也絞；好勇不好學，其蔽也亂；好剛不好學，其蔽也狂。」（〈陽貨〉）仁、知、信、直、勇、剛，都是美德，但如果祇是喜歡美德卻不好學，也會產生不良的後果。

學除了有助於自我成長，當然也有它的社會功能，所謂「君子學道則愛人；小人學道則易使也。」（〈陽貨〉）子夏說：「仕而優則學，學而優則仕。」（〈子張〉）這個「優」字，朱子註說：「有餘力也。」用現代的話說，就是服務社會有餘力時，應從事學習；學習有餘力時，應服務社會。古代的讀書人，最直接服務社會的途徑便是「仕」。有些人引用子夏這句話，說儒家為學的目的就是為了做官，實在是斷章取義，枉誣古人了。

二、學什麼？

明白了學的目的後，接著要弄清楚該學什麼？

有一次衛國大夫公孫朝問子貢說：「仲尼焉學？」子貢回答道：「文武之道，未墜於地，在人。賢者識其大者，不賢者識其小者，莫不有文武之道焉。夫子焉不學？而亦何常師之有。」（〈子張〉）子貢認為孔子是學「文武之道」。其實不祇「文武之道」，三代之禮都是孔子所努力學習的。不過一方面因為夏、商的文獻不足徵，一方面周代斟酌損益夏、商之禮而更具文采，所以孔子特重周文，而說：「周監於二代，郁郁乎文哉，吾從周。」（〈八佾〉）在周文的學習成就上，孔子是無出其右的。孔子甚至很自信地說：「文王既沒，文不在茲乎！」（〈子罕〉）

周文以禮、樂、詩、書為主要內容。孔子說：「博學於文，約之以禮，亦可以弗畔矣夫！」（〈顏淵〉）所以他要弟子學「文」及道德實踐——「禮」。所謂：「弟子入則孝，出則弟，謹而信，汎愛衆，而親仁，行有餘力，則以學文。」（〈學而〉）他常教的課程內容，不外「文、行、忠、信」「詩、書、執禮。」（〈述而〉）或所謂四科：「德行」「言語」「政事」「文學」（〈先進〉），這是以道德修養爲中心的博雅文化教育。孔子即使要求自己的兒子學的，也不外詩、禮這些內容，他曾訓示伯魚說：「不學詩，無以言！」「不學禮，無以立！」（〈季氏〉）即使是學「詩」，也是爲了道德實踐上的目的。請看孔子怎麼說：

「小子！何莫學夫詩？詩，可以興，可以觀，可以羣，可以怨。邇之事父，遠之事君。多識於鳥獸草木之名。」（〈陽貨〉）

「誦詩三百，授之以政，不達；使於四方，不能專對；雖多，亦奚以為？」（〈子路〉）

禮、樂、詩、書是「道」表現的具體內容，它們具有一貫性。所以孔子說「吾道一以貫之」，而曾子指出孔子是以「忠恕」來貫道「道」（〈里仁〉）。這又明顯地說明了儒家學習的內容，是以道德作爲中心的。

同樣地，儒家對於經由學習所得的「知」，也是以道德來規定，也就是說符合道德的知，才算眞正的知。因此，孔子說：「里仁爲美，擇不處仁，焉得知？」（〈里仁〉）儒家的知，是「知德」「知人」。孔子曾感嘆當時道德的淪喪而說：「知德者鮮矣！」（〈衛靈公〉）他答樊遲問「知」說：「知人」（〈顏淵〉）並且進一步解釋「知人」爲「舉直錯諸枉，能使枉者直」。所以「知人」仍不外知人的道德。孔子又說：「不知命，無以爲君子也。不知禮，無以立也。不知言，無以知人也。」（〈堯曰〉）由這段話可以看出，不論「知命」「知禮」「知言」都與知人、知德有關。站在知德、知人的立場，孔子不認爲一個人必須學許多事物，他說：「吾少也賤，故多能鄙事。君子多乎哉？不多也。」（〈子罕〉）

因爲把「知」扣緊在人自身的道德實踐上，孔子對於「鬼神」「死」「性與天道」等問題以及「耕稼」的知識不願多談，以下幾章說得很淸楚：

樊遲問知。子曰：「務民之義，敬鬼神而遠之，可謂知矣。」（〈雍也〉）

季路問事鬼神。子曰：「未能事人，焉能事鬼？」敢問死。曰：「未知生，焉知死？」（〈先進〉）

子不語：怪、力、亂、神。（〈述而〉）

子貢曰：「夫子之文章，可得而聞也；夫子之言性與天道，不可得而聞也。」（〈公冶長〉）

樊遲請學稼。子曰：「吾不如老農。」請學為圃。曰：「吾不如老圃。」樊遲出。子曰：「小人哉，樊須也。上好禮，則民莫敢不敬；上好義，則民莫敢不服；上好信，則民莫敢不用情。夫如是，則四方之民襁負其子而至矣！焉用稼？」（〈子路〉）

有人以孔子不教「稼」，爲輕視農業生產及勞動階層，這又是斷章取義。如果孔子看輕農業生產，何以在治國上把「足食」視爲優先的要件？

三、如何學？

知道學什麼後，更要知道如何學。

學須由博而約，所謂「博學於文，約之以禮」。博學有待「多聞」，孔子說：「蓋有不知而作之者，我無是也。多聞，擇其善者而從之，多見而識之，知之次也。」（〈述而〉）好學多聞，必須如子夏所說：「日知其所亡，月無忘其所能。」（〈子張〉）尤須結交多聞的益友。博是爲了約，必須把博學所得一以貫之。請見下一章：

子曰：「賜也，女以予為多學而識之者與？」對曰：「然，非與？」曰：「非也！予一以貫之。」（〈衛靈公〉）

由「多學而識」以至「一以貫之」，其關鍵在「思」與「行」。

現在先來談「思」。學雖然比思更重要，但二者不能偏廢。孔子說：「學而不思則罔，思而不學則殆。」（〈爲政〉）孔子對思相當重視，而有「九思」之說：「君子有九思：視思明，聽思聰，色思溫，貌思恭，言思忠，事思敬，疑思問，忿思難，見得思義。」（〈季氏〉）學不能無疑，有疑則應問。孔子非常鼓勵學生發問，他說：「不曰：『如之何如之何』者，吾未如之何也已矣。」（〈衞靈公〉）他自己則「入大廟，每事問。」（〈八佾〉）顏回的好學，離不開好問。所以曾子讚美顏回說：「以能問於不能，以多問於寡；有若無，實若虛，犯而不校，昔者吾友嘗從事於斯矣。」（〈泰伯〉）孔子也曾以「敏而好學，不恥下問」來稱讚孔文子。（〈公冶長〉）

其次談「行」。「行」就是應用所學。孔子說：「學而時習之」學了之後要時時練習，並應用在日常生活中。學的目的正是爲了「行」，孔子說：「法語之言，能無從乎？改之爲貴。巽與之言，能無說乎？繹之爲貴。說而不繹，從而不改，吾未如之何也已矣！」（〈子罕〉）又說：「多聞闕疑，愼言其餘，則寡尤；多見闕殆，愼行其餘，則寡悔。」（〈爲政〉）

學如果只停留在「知」的階段，必致喪失所學，孔子說：「知及之，仁不能守之；雖得之，必失之。」（〈衛靈公〉）子夏說得好：「博學而篤志，切問而近思，仁在其中矣。」（〈子張〉）透過博學、切問、近思，最後篤志於行，即能實現仁了。這就是後來《中庸》所說的爲學次第：「博學之、審問之、愼思之、明辨之、篤行之」。

子夏曾說：「賢賢易色，事父母能竭其力，事君能致其身，與朋友交言而有信；雖曰未學，吾必謂之學矣。」（〈學而〉）也許有人認爲子夏這段話說得太過了，似乎否定了學的功用。但如果一個人能「賢賢易色」，他早已在「見賢思齊」了，如何可能不學呢？所以子夏的話，是强調學的眞正價值在行，並不是認爲人不需要學。

孔子說：「有朋自遠方來，不亦樂乎？」師友是學習的重要資助，孔子說：「三人行，必有我師焉！擇其善者而從之，其不善者而改之。」（〈述而〉）曾子也說：「君子以文會友，以友輔仁。」（〈顏淵〉）

不過，同學之間也有「道不同，不相爲謀」（〈衛靈公〉）的情形，所以孔子說：「可與共學，未可與適道；可與適道，未可與立；可與立，未可與權。」（〈子罕〉）在選擇朋友上必須分別益友與損友，孔子說：「益者三友，損者三友：友直，友諒，友多聞，益矣；友便辟，友善

柔，友便佞，損矣。」（〈季氏〉）

就學習的目的來說，最好是「無友不如己者」（〈學而〉）。孔子說：「工欲善其事，必先利其器。居是邦也，事其大夫之賢者，友其士之仁者。」（〈衞靈公〉）益友是學習的利器，故應「樂多賢友」（〈季氏〉）。對於朋友是否應作選擇，子夏和子張各有看法：

> 子夏之門人問交於子張。子張曰：「子夏云何？」對曰：「子夏曰：『可者與之，其不可者拒之。』」子張曰：「異乎吾所聞，君子尊賢而容眾，嘉善而矜不能。我之大賢與，於人何所不容？我之不賢與，人將拒我，如之何其拒人也？」（〈子張〉）

其實，子夏是就學習的目的，論交友須有所選擇；子張則就大賢之君子待人接物的寬容，論容眾之道。二者之間並無矛盾。

四、爲學的態度

孔子在十五歲時「志於學」，由此展開他成聖的歷程。所以爲學的首要，在於立志。孔子自己學道之志，是死而不悔的，所以他說：「朝聞道，夕死可矣。」（〈里仁〉）唯有立志爲學，才可能「篤信好學，守死善道。」（〈泰伯〉）孔子曾很具體地指出為學應有的態度：「君子食無求飽，居無求安，敏於事而慎於言，就有道而正焉，可謂好學也已。」（〈學而〉）孔子自己和顏回都是這樣地好學。

立志為學，是為己而學，因此「人不知而不慍」。孔子自述說：「不怨天，不尤人；下學而上達。知我者其天乎！」（〈憲問〉）這正是為己而學的典型。

為己而學，則學習的動力是由內發的，所以能生死以之，貫徹始終。孔子曾譬喻說：「譬如為山，未成一簣，止，吾止也！譬如平地，雖覆一簣，進，吾往也！」（〈子罕〉）顏回就是這樣一位勇猛精進的學生，孔子讚美他說：「語之而不惰者，其回也與！」（〈子罕〉）「惜乎，吾見其進也，未見其止也！」（〈子罕〉）

一般人學習缺乏內在的原動力，往往半途而廢，孔子很感慨地說：「苗而不秀者有矣夫！秀而不實者有矣夫！」（〈子罕〉）

其次，應把握生命中的黃金年代，及時為學，所謂「學如不及，猶恐失之」（〈泰伯〉），否則不易有成，孔子說：「後生可畏，焉知來者之不如今也？四十、五十而無聞焉，斯亦不足畏也已！」（〈子罕〉）

為學必須有莊重的學習態度，否則所學不能穩固，孔子說：「君子不重則不威，學則不固。」（〈學而〉）

此外，篤信好學的人，還要有謙虛、誠實的爲學態度，孔子有次就告誡子路說：「由，誨女知之乎？知之爲知之，不知爲不知，是知也。」（〈爲政〉）即使博學如孔子，他在教導別人時，仍不以自己爲無所不知，他說：「吾有知乎哉？無知也。有鄙夫問於我，空空如也；我叩其兩端而竭焉。」（〈子罕〉）

五、學習的樂趣

在《論語》的第一篇、第一章，孔子開宗明義地對學生說：「學而時習之，不亦說乎？有朋自遠方來，不亦樂乎？人不知而不慍，不亦君子乎？」（〈學而〉）這像是開學典禮的一段話，孔子殷殷地期勉學生：學習是一件快樂之事。他並且指出學習的快樂係來自三方面：學了之後不斷地練習，得知行合一、學以致用之樂；與朋友切磋所學，得以文會友之樂；最重要的，學習本身即是件有意義的事，何必爲了別人對自己所學的不了解，而悶悶不樂？如果能掌握以上三項要領，不難得到學習的樂趣。

一旦得到學習之樂，物質生活的匱乏，就能毫不在意；即使是富貴之樂，也將置之度外了。孔子說得好：「飯疏食，飲水，曲肱而枕之，樂亦在其中矣。不義而富且貴，於我如浮雲。」（〈述而〉）

孔子說：「知之者不如好之者；好之者不如樂之者。」（〈雍也〉）學必至於樂，才是學的最高境界。孔子自己和顏回都是「樂之者」，請看以下兩章：

葉公問孔子於子路，子路不對。子曰：「女奚不曰，其為人也，發憤忘食，樂以忘憂，不知老之將至云爾。」（〈述而〉）

子曰：「賢哉！回也。一簞食，一瓢飲，在陋巷。人不堪其憂，回也不改其樂。賢哉！回也。」（〈雍也〉）

孔子是活到老、學到老，而樂在其中。希望我們有一天也能和孔、顏一樣，親嚐學習的無限樂趣！

論仁

一、「仁」的重要

孔子說：「君子去仁，惡乎成名？君子無終食之間違仁，造次必於是，顛沛必於是。」（〈里仁〉）有道德的人，不能片刻離開仁。一旦離開了仁，就不是君子。其實不僅君子不能離開仁，一般百姓也需要仁。孔子說：「民之於仁也，甚於水火。水火，吾見蹈而死者矣，未見蹈仁而死者也。」（〈衛靈公〉）水、火是民生的必需品，孔子認為人民需要仁有甚於水、火。水、火雖然是生活所必需，水、火也可能奪人性命；但卻很少人因為實踐仁而死。可見對一般人民來說，仁是多麼重要。

原則上，人不會蹈仁而死；但對志士仁人來說，仁比生命更重要。必要時，甚至為仁而死，所以孔子說：「志士仁人，無求生以害仁，有殺身以成仁。」（〈衛靈公〉）在這種情形下，人自願地爲仁而死。這與迫於水、火而死，究竟有泰山、鴻毛之別。

在儒家來說，自百姓、君子以至成聖，都不能離開仁。仁是儒學徹上徹下的修養，其重要性由此可見。

二、「仁」等於「愛人」嗎？

仁究竟是什麼？爲何值得爲它獻出生命呢？

孔子在弟子問仁時，常給予不同的回答。這一方面因爲孔子教學是應機說法、因材施教；一方面也因爲仁是修養實得的最高成就，不容易用幾個概念說清楚。

樊遲問仁三次，孔子回答各異，這便是孔子教學的方便善巧。樊遲既然對第一次回答不懂，同樣的回答如果一再地出現，他也很難懂。樊遲三次發問大約不會在同一時間，三次發問的先後次序如何，也不易考證。不過，按情理來說，孔子的回答一定是一次比一次簡單而具體，才能有助於樊遲的理解。如果第一次回答是最容易懂的，樊遲都不明白，孔子在第二、三次改用較難懂的回答，寧有是理！所以依回答的難易來判斷，似乎可以試著排出一個先後的次序。首先是下面這章：

樊遲……問仁。曰：「仁者先難而後獲，可謂仁矣。」（〈雍也〉）

自己先承擔難做的事，而把利益置之於後，孔子說這就是仁。孔子這樣的回答，大概是因爲樊遲有畏難苟得的個性吧。不過，樊遲似乎還看不出「先難而後獲」和仁究竟有何直接的關連，所以又有第二問：

樊遲問仁。子曰：「居處恭，執事敬，與人忠；雖之夷狄，不可棄也。」（〈子路〉）

這次孔子舉出恭、敬、忠三個德目，讓樊遲由此掌握仁的涵義，恭、敬、忠是「先難而後獲」的具體德目。這個回答比上次具體多了。這是要樊遲從「居處恭，執事敬，與人忠」的道德實踐中，親證仁的內涵。樊遲也許還不了解孔子回答的宗旨，又徒然地思索恭、敬、忠與仁有什麼關連，爲什麼實踐恭、敬、忠就是仁？他仍不得其解，所以又有第三問：

樊遲問仁。子曰：「愛人。」問知。子曰：「知人。」樊遲未達。子曰：「舉直錯諸枉，能使枉者直。」樊遲退，見子夏曰：「鄉也吾見於夫子而問知，子曰：『舉直錯諸枉，能使枉者直。』何謂也？」子夏曰：「富哉言乎！舜有天下，選於眾，舉皋陶，不仁者遠

矣；湯有天下，選於衆，舉伊尹，不仁者遠矣。」（〈顏淵〉）

「愛人」的回答簡單、具體且親切，這比由恭、敬、忠思索仁的意義容易多了。這一次樊遲似乎懂了。引文中的「未達」，是單就「知人」部分未達，所以後來樊遲再問子夏時，只提「問知」之事。於是子夏舉史實為證時，也祇說明孔子言知的部分（「舉直錯諸枉」），未說明言仁的部分（「能使枉者直」）。

孔子雖然以「愛」來說仁，這是就樊遲可能理解的方式說。其實，愛人眞是仁嗎？如果愛眞等於仁，孔子直接提倡愛就好了，何必提倡一個費解的仁？愛和仁既是二個概念，其間必有差別。以下找出《論語》中，其他提到「愛」字的章句來看：

子貢欲去告朔之餼羊。子曰：「賜也，爾愛其羊，我愛其禮。」（〈八佾〉）

子曰：「……愛之欲其生，惡之欲其死，既欲其生，又欲其死，是惑也。」（〈顏淵〉）

子曰：「愛之能勿勞乎？忠焉能勿誨乎？」（〈憲問〉）

子曰：「道千乘之國，敬事而信，節用而愛人，使民以時。」（〈學而〉）

子游對曰：「昔者偃也聞諸夫子曰：『君子學道則愛人，小人學道則易使也。』」（〈陽貨〉）

子曰：「弟子入則孝，出則悌，謹而信，汎愛眾而親仁，行有餘力，則以學文。」（〈學而〉）

宰我出。子曰：「予之不仁也！子生三年，然後免於父母之懷。夫三年之喪，天下之通喪也。予也有三年之愛於其父母乎？」（〈陽貨〉）

上引第一章愛羊、愛禮的愛，是珍惜之意。第二章的愛與惡對舉，祇是一種情感。第三章愛與忠對言，或許可視爲一個德目。第四、五章愛人、愛眾，也是美德。最後一章，孔子由對父母的不愛，來判斷不仁。因此可以說愛是仁的必要條件。但是，愛是否是仁的充分條件呢？爲解決這一問題，讓我們進入下一節。

三、仁和其他德目的關係

首先要問，仁究竟是不是與一般德目並列？以下試作分析。

㈠仁與孝

有子曰：「其爲人也孝弟而好犯上者，鮮矣！不好犯上，而好作亂者，未之有也。君子務本，本立而道生。孝弟也者，其爲仁之本與！」（〈學而〉）「孝弟」是「爲仁」的根本或基礎，實踐仁由孝弟開始。所以孝弟二德目，可視爲踐仁的必要條件。《中庸》說：「仁者人也，親親爲大。」正是此意。爲仁既以孝弟爲必要條件，則仁必涵蓋孝弟。孝弟是爲仁之本，並非爲仁之全部，所以孝弟不能涵蓋仁。

㈡仁與知、勇

孔子常常以仁者、知者並列對擧，這是指出人格特徵的兩種類型，如說：

「知者樂水，仁者樂山；知者動，仁者靜；知者樂，仁者壽。」（〈雍也〉）

「仁者安仁，知者利仁。」（〈里仁〉）

知者雖能利仁（以仁爲有利，或有利於行仁），但不如仁者能安處於仁之中，所以就道德修養說，知者終不如仁者。因此孔子說：「唯仁者能好人，能惡人。」（〈里仁〉）知者或許能知善惡、明是非，但不如仁者能眞正好善、惡非。知之者，終不如好之者、樂之者（〈雍也〉）。孔子說：「知及之，仁不能守之；雖得之，必失之。」（〈衞靈公〉）這也可見知及的知者，不如能守的仁者。

當然，如果祇是好仁，而不追求必要的知識與智慧，則難免「好仁不好學，其蔽也愚。」（〈陽貨〉）了。仁者絕非愚者，請看下一章：

宰我問曰：「仁者，雖告之曰：『井有仁焉。』其從之也？」子曰：「何為其然也？君子可逝也，不可陷也；可欺也，不可罔也。」（〈雍也〉）

可逝、可欺，是仁者的悲心；不可陷、不可罔，卻是仁者的智慧。孔子說：「剛毅、木訥，近仁。」（〈子路〉）但君子雖「訥於言」（〈里仁〉），卻是「夫人不言，言必有中」（〈先

進〉），這正是智慧的表現。所以孔子說：「有德者必有言，有言者不必有德。」（〈憲問〉）

孔子說：「里仁爲美，擇不處仁，焉得知？」（〈里仁〉）能選擇仁，才可以稱作眞正的知。

由以上的分析可知，仁可以涵蓋知；知卻不能涵蓋仁。

同樣地，由孔子說：「仁者必有勇，勇者不必有仁」（〈憲問〉），也可以看出仁可以涵蓋勇；勇卻不能涵蓋仁。以下列出孔子論勇的其他各章來看：

「由也！好勇過我，無所取材！」（〈公冶長〉）

「好勇不好學，其蔽也亂。」（〈陽貨〉）

子路曰：「君子尚勇乎？」子曰：「君子義以為上。君子有勇而無義為亂，小人有勇而無義為盜。」（〈陽貨〉）

「惡勇而無禮者。」（〈陽貨〉）

「勇而無禮則亂。」（〈泰伯〉）

「好勇疾貧，亂也。」（〈泰伯〉）

「見義不為，無勇也。」（〈為政〉）

「若臧武仲之知，公綽之不欲，卞莊子之勇，冉求之藝，文之以禮樂，亦可以為成人矣。」（〈憲問〉）

「知者不惑，仁者不憂，勇者不懼。」（〈子罕〉）

孔門中以子路爲最勇，但孔子認爲光是勇不夠，子路的「無所取材」即缺乏智慧來辨別事理。所以在〈陽貨篇〉孔子又告誡子路說：「好勇不好學，其蔽也亂。」而子路問「尚勇」時，孔子說「義以爲上」，不能「有勇而無義」。孔子也指出不能「勇而無禮」。至於「成人」，除了勇之外，必須兼備知、不欲、藝、禮樂。而勇也與知、仁並列。

由以上可知，勇只是德目之一，不可以單獨運作，它必須經由好學之途徑，而受義、禮的節制。不過由於仁與知、勇並列，似乎也可以將仁視作德目之一。但上文已指出仁涵蓋了知、勇二德。雖然狹義地說，知、仁、勇各有特性，故可並列；而廣義地說，仁能涵知、勇，知、勇不必涵仁；所以仁不祇不憂，它也兼具知之不惑與勇之不懼。

㈢仁與忠、清、敬、恭、寬、信、敏、惠

忠、清二德目與仁的關係，可由下一章推知：

子張問曰：「令尹子文，三仕為令尹，無喜色；三已之，無慍色。舊令尹之政，必以告新令尹。何如？」子曰：「忠矣。」曰：「仁矣乎？」曰：「未知，焉得仁？」「崔子弒齊君，陳文子有馬十乘，棄而違之，至於他邦，則曰：『猶吾大夫崔子也！』違之，之一邦，則又曰：『猶吾大夫崔子也！』違之。何如？」子曰：「清矣。」曰：「仁矣乎？」曰：「未知，焉得仁。」（〈公冶長〉）

孔子許令尹子文爲忠，卻不稱他爲仁；許陳文子爲清，卻不稱他爲仁。所以忠或清都不能涵蓋仁。而如前引樊遲問仁，孔子以恭、敬、忠作答，則顯然仁可以涵蓋恭、敬、忠，而恭、敬、忠任一德不能涵蓋仁。至於仁能不能涵蓋清，雖沒有直接的章句作證，但以仁能涵蓋忠，可以類推證之。再看下面一章：

子張問仁於孔子。孔子曰：「能行五者於天下，為仁矣。」「請問之。」曰：「恭、寬、信、敏、惠。恭則不侮，寬則得眾，信則人任焉，敏則有功，惠則足以使人。」（〈陽貨〉）

恭、寬、信、敏、惠五者具足，才稱爲仁。則仁可涵蓋前五德，而前五德中任一德都不能涵蓋仁。

㈣仁與義

孔子論義的重要章句如：

子路曰：「君子尚勇乎？」子曰：「君子義以為上。君子有勇而無義為亂，小人有勇而無義為盜。」（〈陽貨〉）

「見義不為，無勇也。」（〈為政〉）

「君子之於天下也，無適也，無莫也，義之與比。」（〈里仁〉）

「見得思義。」（〈季氏〉）

「見利思義，見危授命，久要不忘乎平生之言，亦可以為成人矣。」（〈憲問〉）

「隱居以求其志，行義以達其道。」（〈季氏〉）

「德之不脩，學之不講，聞義不能徙，不善不能改，是吾憂也。」（〈述而〉）

「主忠信，徙義，崇德也。」（〈顏淵〉）

「君子喻於義，小人喻於利。」（〈里仁〉）

「君子義以為質，禮以行之，孫以出之，信以成之。」（〈衛靈公〉）

子謂子產：「有君子之道四焉：其行己也恭，其事上也敬，其養民也惠，其使民也義。」（〈公冶長〉）

《論語》中未見有那一章同時論及仁與義，孔子似乎不像孟子將仁與義並列來論，但他對義的重視，實不下於孟子。義是無上的，它是道德判斷的根據（義之與比）。「見利思義」是「成人」的首要條件。行義則可「達其道」。無義則為亂、為盜，甚至可能無勇。君子須聞義、徙義、喻於義、義以為質。在此，義在一切德目之上，具有作為一切德目之依據的地位。但義也可以與其他德目，如禮、孫、信、恭、敬、惠等並列。廣義的義在眾德之上；狹義的義則與眾德並列。這和仁的情形頗為相似。

仁與義都在眾德之上，它們之間是什麼關係呢？既然孔子未將仁、義並列，且談論義時不談仁，談論仁時不談義，可能意味著廣義的仁與廣義的義係同指一物。孔子一方面說：「君子之於天下也，無適也，無莫也，義之與比。」一方面又說：「君子無終食之間違仁，造次必於是，顛沛必於是。」（〈里仁〉）義是道德的無上標準，仁是不可片刻違背的，則二者不可能是二物。不可片刻違背的，必定是無上的標準；反之亦然。

仁、義是一物的兩面說，仁指道德的整體內涵；義指此內涵即是無上的義務與判準。

仁、義雖是一物，孔子卻多說仁，少說義。或許因為禮也具有義務與判準的作用，孔子既然多說禮，所以少說義；或者因爲孔子更重視義務與判準的內涵，所以多說屬於內涵義的仁，少說偏於形式義的義。仁代表人的道德的整體內涵，是人之所以爲人的特質，後來孟子和《中庸》皆有此意，請見下文：

孟子曰：「仁也者，人也。合而言之，道也。」（〈盡心〉）

「故為政在人，取人以身，脩身以道，脩身以仁。仁者，人也，親親為大；義者，宜也，尊賢為大。親親之殺，尊賢之等，禮所生也。」（〈中庸〉）

《中庸》說得尤其淸楚：合言時，以仁爲代表，所以說「脩身以仁」。分言時，仁指人之所以爲人的內涵；義指此內涵同時具有規範性（宜），可作爲判準與義務。而此內涵與規範，表現爲「親親之殺，尊賢之等」時，禮即由此而生。

以上分析了仁與衆德的關係。狹義地說，仁與其他德目並列。當仁作爲德目之一來看時，仁與其他德目不同的特徵即是「愛」，這時說仁是「愛人」。廣義地說，仁涵衆德，則不能單用愛來界定仁。換句話說，廣義的仁其中涵愛，但不祇是愛而已。朱子在《四書集註》中說：「仁者，愛之理、心之德也。」也說明了仁與愛有關，但如光說愛，祇說出了仁的情、意之一面，須說「愛之理」才能兼顧仁的理性之一面。而「心之德」也指出仁代表人心的道德內涵。朱子對仁的詮釋，也許可以這樣地理解：「愛之理」指狹義之仁；「心之德」指廣義之仁。當然狹義、廣義之分，祇是表達的方式而已。實際上，「愛之理」與「心之德」不是二物。眞正的愛，必具有理性，也即是人心道德的全體，這就是仁，實無廣狹之分。

四、「仁」之難處

仁如果祇是狹義之仁——愛，也許還可以揣摩；但它的廣義的一面，實在難以領會。《論語》說：「子罕言利，與命與仁。」（〈子罕〉）孔子平常的教學雖然不常言仁，但《論語》中記載弟子問仁的次數很多，可見仁是不容易懂的。孔子對仁的體驗來自眞實的生活，如果不是認眞體驗生活的人，對孔子言簡意賅的教言是難以了解的。如孔子說：「剛毅木訥，近仁。」（〈子路〉）「巧言令色，鮮矣仁。」（〈學而〉）或說：「人之過也，各於其黨。觀過，斯知仁矣。」（〈里仁〉）到底「剛毅木訥」和仁有什麼關係？「巧言令色」爲何很少有仁的修養？「觀過」爲何知道仁？這都不是從字面可以分析，掌握的，這是學仁的難處。

除了仁的本身難以領會外，仁的修養也不易獲致。孔子雖曾鼓勵學生說：「仁遠乎哉？我欲仁，斯仁至矣！」（〈述而〉）但他卻不輕易以仁許人。仁之難修可由以下二章見之：

「克、伐、怨、欲，不行焉，可以為仁矣？」子曰：「可以為難矣，仁則吾不知也。」（〈憲問〉）

子曰：「君子而不仁者有矣夫！未有小人而仁者也！」（〈憲問〉）

「克、伐、怨、欲，不行」已是難能了，而仍未及仁的修養。即使君子也偶有不仁的時候。在孔門弟子中，孔子只稱許顏淵說：「回也，其心三月不違仁；其餘，則日月至焉而已矣。」（〈雍也〉）其他弟子如子張，子游說：「吾友張也，爲難能也，然而未仁。」（〈子張〉）曾子也說：「堂堂乎張也！難與並爲仁矣。」（〈子張〉）如子張之難能，仍是「未仁」。如子路、子由、冉求、公西華等都未達到仁的修養，其他時人也一樣，請見下二章：

孟武伯問：「子路仁乎？」子曰：「不知也。」又問。子曰：「由也，千乘之國，可使治其賦也；不知其仁也。」「求也何如？」子曰：「求也，千室之邑，百乘之家，可使為之宰也；不知其仁也。」「赤也何如？」子曰：「赤也，束帶立於朝，可使與賓客言

也;不知其仁也。」(〈公冶長〉)

子張問曰:「令尹子文,三仕為令尹,無喜色;三已之,無慍色。舊令尹之政,必以告新令尹。何如?」子曰:「忠矣。」曰:「仁矣乎?」曰:「未知,焉得仁?」「崔子弒齊君,陳文子有馬十乘,棄而違之,至於他邦,則曰:『猶吾大夫崔子也!』違之,之一邦,則又曰:『猶吾大夫崔子也!』違之。何如?」子曰:「清矣。」曰:「仁矣乎?」曰:「未知,焉得仁。」(〈公冶長〉)

到達忠、清的修養的,也未必仁,仁之難可知。對前賢稱許爲仁,在《論語》中,祇有一次:「微子去之,箕子爲之奴,比干諫而死。孔子曰:『殷有三仁焉。』」(〈微子〉)而稱許管仲也祇由其功業上稱之「如其仁!如其仁!」(〈憲問〉)並非眞正讚美其人格。其實,孔子也並未自許自己達到仁的修養,所以他說:「君子道者三,我無能焉:仁者不憂,知者不惑,勇者不懼。」子貢則說:「夫子自道也!」(〈憲問〉)

仁之所以難修,正因爲它是情、意與理性的圓融,爲人格的健全發展的最高成就。

五、如何爲仁？

仁雖難知難修，並非不可知、不可修。而且正是要由修仁、行仁中去知仁。所以弟子問仁時，孔子多答以爲仁的方法（仁之方）。以下幾章說得很明白：

顏淵問仁。子曰：「克己復禮為仁。一日克己復禮，天下歸仁焉。為仁由己，而由人乎哉？」顏淵曰：「請問其目。」子曰：「非禮勿視，非禮勿聽，非禮勿言，非禮勿動。」（〈顏淵〉）

仲弓問仁。子曰：「出門如見大賓，使民如承大祭。己所不欲，勿施於人。在邦無怨，在家無怨。」（〈顏淵〉）

司馬牛問仁。子曰：「仁者，其言也訒。」曰：「其言也訒，斯謂之仁已乎？」子曰：「為之難，言之得無訒乎？」（〈顏淵〉）

子貢曰：「如有博施於民，而能濟眾，何如？可謂仁乎？」子曰：「何事於仁，必也聖乎！堯舜其猶病諸！夫仁者，己欲立而立人，己欲達而達人。能近取譬，可謂仁之方也已。」（〈雍也〉）

子貢問為仁。子曰：「工欲善其事，必先利其器。居是邦也，事其大夫之賢者，友其士之仁者。」（〈衛靈公〉）

子張問仁於孔子。孔子曰：「能行五者於天下，為仁矣。」「請問之。」曰：「恭、寬、信、敏、惠。恭則不侮，寬則得眾，信則人任焉，敏則有功，惠則足以使人。」（〈陽貨〉）

孔子答顏淵之問，以爲仁在「克己復禮」。答仲弓之問，「出門如見大賓，使民如承大祭」是敬；「己所不欲，勿施於人」是恕。敬、恕其實也是達到克己復禮的方法。答司馬牛之問，「其言也訒」是克己的一種表現。答子貢二問，「己欲立而立人，己欲達而達人」是「己所不欲，勿施於人」積極表示，「能近取譬」是指示爲仁須由己身開始。「事其大夫之賢者，友其士之仁者。」是見賢思齊，以友輔仁之意。答子張之問，則具體提出「恭、寬、信、敏、惠」五個德目。

為仁首在立志，孔子說：「苟志於仁矣，無惡也。」（〈里仁〉）立志為仁，要有「當仁，不讓於師」（〈衞靈公〉）的氣魄。為仁也應持恆，所謂：「君子無終食之間違仁，造次必於是，顚沛必於是。」（〈里仁〉）持恆的關鍵在眞能「好仁」「惡不仁」。孔子說：「我未見好仁者，惡不仁者。好仁者，無以尚之；惡不仁者，其為仁矣，不使不仁者加乎其身。有能一日用其力於仁矣乎？我未見力不足者。蓋有之矣，我未之見也。」（〈里仁〉）

不過，單是好仁還不夠，所謂「好仁不好學，其蔽也愚」（〈陽貨〉）。子夏說得好：「博學而篤志，切問而近思，仁在其中矣。」（〈子張〉）為仁還要能「游於藝」，孔子說：「志於道，據於德，依於仁，游於藝。」（〈述而〉）

六、仁與聖

孔子不像孟子常由政治的角度（如仁政）來談仁。不過，他也偶而論及仁在政治方面的意義和重要，如說：「雖有周親，不如仁人。百姓有過，在予一人。」（〈堯曰〉）「君子篤於親，則民興於仁。」（〈泰伯〉）「如有王者，必世而後仁。」（〈子路〉）

仁既是人格的最高成就，它是否即是聖呢？可由下文得知：

子貢曰：「如有博施於民，而能濟眾，何如？可謂仁乎？」子曰：「何事於仁，必也聖乎！堯舜其猶病諸！夫仁者，己欲立而立人，己欲達而達人。能近取譬，可謂仁之方也已。」（〈雍也〉）

聖是仁的進一步成就。仁已是道德人格的最高成就，則聖不祇是道德上最高而已，也是道德事功（在孔子來說即是「爲政」）的圓滿完成。所謂「博施」「濟衆」，連堯舜也不敢說能做得圓滿。如果以「內聖外王」來說，依孔子之意，仁祇是內聖，尚未達到眞正聖人之位；要內聖、外王圓滿，才稱爲聖。依這個高標準來看，孔子說：「若聖與仁，則吾豈敢！抑爲之不厭，誨之不倦，則可謂云爾已矣！」（〈述而〉）就聖一面說，孔子的確不是故示謙虛。但就仁一面說，孔子是否故示謙虛呢？如依上引孔子之自述：「君子道者三，我無能焉：仁者不憂……」孔子也並非故示謙虛，這是他不斷以道德圓滿人格自我策勵的眞實寫照。但就這點來看，孔子也可說是當之無愧的仁者了！

孔子最後指點子貢爲仁之方，正是明示一條由仁致聖的下手途徑。「己欲立而立人，己欲達而達人」與博施濟衆，都涵著愛人。所以這是由愛人始、以成聖終的終身奮鬥歷程。孔子自己是如此努力，他也教弟子如此用功，這是儒學的不二法門呢！

論孝

一、孝與行孝

孝的重要是勿庸置疑的。有一次子貢問：「何如斯可謂之士矣？」孔子曾回答說：「宗族稱孝焉，鄉黨稱弟焉。」（〈子路〉）可見孝是成為士的條件之一。至於有子說：「君子務本，本立而道生。孝弟也者，其為仁之本與！」（〈學而〉）更說明了孝是為仁成德的必要條件。

什麼是孝呢？孔子的弟子有多次問孝的記載，我們來看看孔子怎麼回答這個問題：

子游問孝。子曰：「今之孝者，是謂能養。至於犬馬，皆能有養，不敬，何以別乎？」（〈為政〉）

子夏問孝。子曰：「色難。有事，弟子服其勞；有酒食，先生饌；曾是以為孝乎？」（〈為政〉）

孟懿子問孝。子曰：「無違。」樊遲御，子告之曰：「孟孫問孝於我，我對曰：『無違。』」樊遲曰：「何謂也？」子曰：「生，事之以禮；死，葬之以禮，祭之以禮。」（〈為政〉）

首先，孝不祇是「養」，更重要的是「敬」。孝不祇是「服其勞」或供「酒食」，更是「色難」，前者是肉體上的供養，後者是精神上的奉事。「色難」是在敬之外，難在還應有「愉色」「婉容」（見朱註）。

除「敬」「色難」之外，又要「無違」，其具體表現是：對父母生前死後的事奉，都無違於禮。「無違」並非一味的順從，孔子說：「事父母幾諫，見志不從，又敬不違，勞而不怨。」（〈里仁〉）父母有不合理（禮）的地方，先須「幾諫」；如果父母不從己志，仍敬奉不違。朱子註說：「所謂諫若不入，起敬起孝，悅則復諫也。」當然父母的教令如果嚴重違反禮義倫常，子女也不能一味順從，這也是「生，事之以禮」之義。

「無違」不僅在生前，也在死後，所以孔子說：「父在觀其志；父沒觀其行。三年無改於父之道，可謂孝矣。」（〈學而〉）孟莊子就具有這樣的孝行，曾子曾引述孔子的話稱讚他說：「吾聞諸夫子：孟莊子之孝也，其他可能也；其不改父之臣與父之政，是難能也。」（〈子張〉）「色難」或「無違」，是行孝的消極面。行孝在精神上的積極表徵，還見於以下諸事：

孟武伯問孝。子曰：「父母唯其疾之憂。」（〈為政〉）

子曰：「父母之年，不可不知也：一則以喜，一則以懼。」（〈里仁〉）

子曰：「孝哉閔子騫，人不間於其父母昆弟之言。」（〈先進〉）

父母有疾則心憂，父母年高則既喜又懼。而因自己的眞心行孝，父母兄弟稱許自己孝友之言，別人也無從挑剔或批評。

在孔門中曾子孝行最著，他的孝思至死不匱，可由下文見之：

曾子有疾，召門弟子曰：「啟予足！啟予手！詩云：『戰戰兢兢，如臨深淵，如履薄冰。』而今而後，吾知免夫！小子！」（〈泰伯〉）

二、孝與仁

孝與仁的關係，在「論仁」的部分已經談過。孝是「爲仁之本」，不孝的人不可能成爲仁人，孔子以行孝比「學文」更具優先性，他說：「弟子入則孝，出則弟，謹而信，汎愛衆，而親仁，行有餘力，則以學文。」（〈學而〉）孔子以宰我不行三年之喪，便論其「不仁」，請看以下的對話：

宰我問：「三年之喪，期已久矣！君子三年不為禮，禮必壞；三年不為樂，樂必崩。舊穀既沒，新穀既升，鑽燧改火，期可已矣。」子曰：「食夫稻，衣夫錦，於女安乎？」曰：「安！」「女安，則為之，夫君子之居喪，食旨不甘，聞樂不樂，居處不安，故不為也。今女安，則為之！」宰我出。子曰：「予之不仁也！子生三年，然後免於父母之懷。夫三年之喪，天下之通喪也。予也，有三年之愛於其父母乎？」（〈陽貨〉）

從這裡可以看出，孔子認爲一個人的行孝，是基於身心的安不安。孝子行三年之喪時，「食旨不甘，聞樂不樂，居處不安」。宰我能安，足見對父母之愛甚淺，所以孔子責其不仁。後來孟子論孝子葬親的道理，也是由心之不忍來說，和孔子近似，他說：

「蓋上世嘗有不葬其親者，其親死，則舉而委之於壑。他日過之，狐狸食之，蠅蚋姑嘬之。其顙有泚，睨而不視。夫泚也，非為人泚，中心達於面目。蓋歸反虆梩而掩之。掩之，誠是也。則孝子仁人之掩其親，亦必有道矣。」（〈滕文公上〉）

不過，古今生活型態不同。今天如果仍要求三年之喪，恐怕不可行了。禮有損益，孔子如在今天，想必也會同意將喪期依情如理地縮短吧！

三、孝與爲政

孝除了是成德的必要條件外，也是爲政的重要資助，請看以下各章：

有子曰：「其為人也孝弟，而好犯上者鮮矣！不好犯上，而好作亂者，未之有也。」（〈學而〉）

曾子曰：「慎終追遠，民德歸厚矣！」（〈學而〉）

季康子問：「使民敬忠以勸，如之何？」子曰：「臨之以莊，則敬；孝慈，則忠；舉善而教不能，則勸。」（〈為政〉）

或謂孔子曰：「子奚不為政？」子曰：「書云：『孝乎，惟孝友于兄弟。』施於有政，是亦為政，奚其為為政？」（〈為政〉）

以上各章的思想，就是歷來所謂「以孝治天下」的傳統。所以孟子也說：「堯舜之道，孝弟而已矣。」（〈告子下〉）而禹對祖先（鬼神）祭祀的盡心致孝，就博得孔子的稱讚說：「禹，吾無間然矣！菲飲食，而致孝乎鬼神；惡衣服，而致美乎黻冕。」（〈泰伯〉）後來《大學》把這種「孝治」思想更發揮得淋漓盡致：

「所謂治國必先齊其家者，其家不可教而能教人者，無之。故君子不出家而成教於國：孝者，所以事君也；弟者，所以事長也；慈者，所以使眾也。」

「所謂平天下在治其國者：上老老而民興孝，上長長而民興弟，上恤孤而民不倍。」

這種以「政治倫理」爲「家庭倫理」的擴大，有其歷史上的功能與意義。但我們也當注意到：「政治倫理」並不能等同於「家庭倫理」；道德雖然是政治的必要條件，卻非充分條件。在學習了西方民主政治之後，我們對這點應深深有所省思！

論道德修養

一、道與德的異同

《論語》中出現「道」或「德」字的，共有八十五章之多。其中單獨出現「道」字的有五十五章；單獨出現「德」字的較少，有二十五章；兩字同時出現的，有五章。這兩字的含意，究竟有何異同？

先來看「道」字，它在《論語》中有幾種用法。

最符合本義的名詞用法，是指「道路」，如孔子說：「予縱不得大葬，予死於道路乎？」（〈子罕〉）

「道」字用在動詞，則有二義。第一義讀同「導」，如以下三例：

子曰：「道千乘之國，敬事而信，節用而愛人，使民以時。」（〈學而〉）

子曰：「道之以政，齊之以刑，民免而無恥；道之以德，齊之以禮，有恥且格。」（〈為政〉）

子貢曰：「……夫子之得邦家者，所謂立之斯立，道之斯行，綏之斯來，動之斯和。」（〈子張〉）

第二義同「言說」，如子曰：「忠告而善道之，不可則止。」（〈顏淵〉）又：「樂道人之善。」（〈季氏〉）都是。

作名詞的「道」，再抽象化爲人生的道路，如曾子曰：「士不可以不弘毅，任重而道遠。」（〈泰伯〉）之「道」。人生的道路各不相同，也有大、小。如子曰：「道不同，不相爲謀。」（〈衞靈公〉）子夏曰：「雖小道，必有可觀者焉；致遠恐泥，是以君子不爲也。」（〈子張〉）儒家所走的是可以致遠、死而後已的道。如子曰：「朝聞道，夕死可矣。」（〈里仁〉）子曰：「篤信好學，守死善道。」（〈泰伯〉）「道」成了人生的終極關懷，可以爲之而死，是超越一切的、最高的理想與價值（善）。這「道」對人人來說都是必要的，所以孔子說：「誰能出不由戶？何莫由斯道也？」（〈雍也〉）這個「道」除稱「善道」，也稱「直道」，如孔子說：

「……斯民也，三代之所以直道而行也。」（〈衛靈公〉）

「直道而事人，焉往而不三黜？枉道而事人，何必去父母之邦。」（〈微子〉）

人生的道路，落實在日常生活，即是待人接物的生活規範，如：

師冕出。子張問曰：「與師言之道與？」子曰：「然。固相師之道也。」（〈衛靈公〉）

子張問善人之道。子曰：「不踐跡，亦不入於室。」（〈先進〉）

子曰：「……所謂大臣者：以道事君，不可則止。」（〈先進〉）

子曰：「衣敝緼袍，與衣狐貉者立，而不恥者，其由也與！『不忮不求，何用不

臧？』」子路終身誦之。子曰：「是道也，何足以臧？」（〈子罕〉）

子曰：「君子易事而難說也；說之不以道，不說也；及其使人也，器之。小人難事而易說也；說之雖不以道，說也；及其使人也，求備焉。」（〈子路〉）

子曰：「父在，觀其志；父沒，觀其行；三年無改於父之道，可謂孝矣。」（〈學而〉）

符合生活規範、具有合理的人生理想的人，叫作「有道」，如孔子說：「君子食無求飽，居無求安，敏於事而慎於言，就有道而正焉，可謂好學也已。」（〈學而〉）

政治或文化上的理想，也是「道」，如說「先王之道」（〈學而〉）「古之道」（〈八佾〉）。孔子說：「齊一變，至於魯；魯一變，至於道。」（〈雍也〉）也是此義。凡符合此理想的政治叫「有道」，否則叫「無道」。孔子當時便有不能實現政治理想之嘆，所謂：「道不行，乘桴浮于海。」（〈公治長〉）

孔子比較少談到的，是形而上的「天道」。所以子貢說：「夫子之言性與天道，不可得而聞也？」（〈公治長〉）

其次來看「德」字，它在《論語》中也有幾種用法。「德」有性質、作用之義，如：「君子之德，風；小人之德，草。」（〈顏淵〉）也有恩惠之義，如「以德報怨」（〈憲問〉）。這兩種用法都是中性的，無所謂善惡。再看以下兩章：

子曰：「驥不稱其力，稱其德也。」（〈憲問〉）

楚狂接輿歌而過孔子曰：「鳳兮！鳳兮！何德之衰？往者不可諫，來者猶可追。」（〈微子〉）

第一章之「德」，朱註云：「謂調良也。」指良馬的調服馴良的性質，屬正面的價值，已非中性的。第二章鳳的「德」，也屬正面的美德。

《論語》中「德」用在人身上，一般多指美德。因爲是美德，所以有所謂「崇德」（〈顏淵〉）「尚德」（〈憲問〉）「文德」（〈季氏〉）。孔子說：「君子懷德，小人懷土。」（〈里仁〉）「土」朱註解作「所處之安」，是指外在的條件。相對來說，「德」應指身心之安，爲內在的條件，朱註解作「固有之善」，且不論是否固有，解作「善」（正面的價值），應無疑義。具有美德，稱爲「有德」。子曰：「有德者必有言，有言者不必有德。」（〈憲問〉）

上文曾引述子夏的話，以「道」有大、小。子夏認爲「德」也有大、小，他說：「大德不踰閑，小德出入可也。」（〈子張〉）

孔子又有所謂「至德」，如子曰：「中庸之爲德也，其至矣乎！」（〈雍也〉）子曰：「泰伯，其可謂至德也已矣！」（〈泰伯〉）孔子曰：「……周之德，其可謂至德也已矣。」（〈泰伯〉）則「至德」指最高的美德或價值。上文曾以「道」爲最高的理想和價值，因此，「至德」與「道」有相同處。

《說文》解「道」字作：「所行道也。」那麼「德」字有沒有「行」之義呢？《論語》以顏淵、閔子騫、冉伯牛、仲弓四人屬「德行」（〈先進〉），則「德」與「行」也有關係。

《說文》解「德」字作：「升也，从彳悳聲。」段玉裁注云：「升當作登。……何曰：登讀言得。……得即德也。……今俗謂用力徙前曰德，古語也。」不論是「登」或「徙前」，都含「行」之義。

《說文》解「悳」字作：「外得於人，內得於己也，从直心。」段注云：「此當依小徐通論作：內得於己，外得於人。內得於己，謂身心所自得也；外得於人，謂惠澤使人得也。俗字叚德爲之。」

《說文》解「得」字作：「行有所㝵也。」段注云：「見部曰㝵取也。行而有所取，是曰得也。《左傳》曰：凡獲器用曰得。」「得」既與「行」有關，則「德」字也應與「行」有關。

《說文》解「彳」字作云：「彳，小步也。」也有行之義。

由此以上的訓解可見，「德」含「行」之義。那麼「道」與「德」的差別究竟何在呢？根據上文的分析，「道」字重在它是「所行」之義；而「德」字重在它是「行而身心有所得」之義。身心之所得，用今天的話來說，就是人格。把「道」「德」這兩個字用爲道德概念時，「道」表示行爲所遵循的價值理想或規範；「德」表示行爲遵循價值理想或規範時，身心之所得，即人格之內涵。

以上的定義，大體可以涵蓋《論語》中二字的主要用法。現舉《論語》中同時用此二字的情形來看：

子曰：「志於道，據於德，依於仁，游於藝。」（〈述而〉）

子張曰：「執德不弘，信道不篤，焉能為有？焉能為亡？」（〈子張〉）

「道」作爲價值理想，是所志、所信的對象；「德」作爲理想的人格，是身心所據、所執的內涵。對象，表示它的超越性，超越於現有的人格；內涵，表示它的內在性，內涵於現有的人格。

孔子說：「人能弘道，非道弘人。」（〈衞靈公〉）一個人可以主動地弘揚超越的理想（道），使它呈現爲自己人格的內涵（德）。而超越的理想，不能主動地弘揚一個人的人格，使其符合超越的理想。一個人如果不篤信理想，使自己的人格內涵得以實現，則這個人的人格就不値得重視了。

綜合以上所述，可以說「道」是最高的價值理想；「德」是這樣的理想在個人身心的實現。

二、道的一貫

現在進一步來討論，「道」或「德」作爲價值理想的意義來看，究竟是一個或是多個？先看以下二章：

子謂子產：「有君子之道四焉：其行己也恭，其事上也敬，其養民也惠，其使民也義。」（〈公冶長〉）

子曰：「君子道者三，我無能焉：仁者不憂，知者不惑，勇者不懼。」（〈憲問〉）

根據這兩章的文字表面來看，「道」有時是四個，有時是三個，那麼到底有幾個呢？爲解決這種不一致處，可以把這四個或三個，甚至無窮多個，都看成「道」在各方面的各種展現。「行己」「事上」「養民」「使民」是不同方面的事；恭、敬、惠、義、仁、知、勇，是「道」展現的不同面貌。這些不同的面貌展現在身心或人格之中，也就被稱爲種種德目。藉著這種方式，也比較能夠了解什麼叫「一以貫之」了。請看以下兩章：

> 子曰：「參乎！吾道一以貫之。」曾子曰：「唯。」子出。門人問曰：「何謂也？」曾子曰：「夫子之道，忠恕而已矣！」（〈里仁〉）

> 子曰：「賜也！女以予為多學而識之者與？」對曰：「然，非與？」曰：「非也，予一以貫之。」（〈衛靈公〉）

曾子對「一以貫之」的解釋，應合於孔子自己的意思，因爲後來也沒聽說孔子不同意這種說法。由曾子的話可以看出，孔子是以道德（忠恕）來貫通價值理想（道）的。孔子對子貢所說的，也應如此理解。「多學而識之」的祇是知識，把知識的多，「一以貫之」的，便不是知識，而是道德的價值理想。也只有價值理想，可以將不同的衆多知識整合爲一個系統。

也許有人會問：忠、恕是兩個德目，怎麼說是「一」以貫之呢？其實，忠是對己來說；恕是對人來說，本來是一種美德的兩面說，並非兩種美德。忠於理想的人，一定能以同樣的理想來對待自己與別人：能以理想對待自己，一定能以理想對待別人；能以理想對待別人，也一定能以理想對待自己。所以單提「恕」，必涵著「忠」，反之亦然。因此當子貢問：「有一言而可以終身行之者乎？」孔子便回答：「其恕乎！己所不欲，勿施於人。」（〈衛靈公〉）

不過，說理想（道），說人格內涵（德），或說忠於己、恕於人，都祇是形式上說，並未說出其內容究竟是什麼？也就是「一以貫之」的「一」的內涵是什麼？爲解決這問題，可以看以下三章孔子所說：

「富與貴是人之所欲也；不以其道得之，不處也。貧與賤是人之所惡也；不以其道得之，不去也。君子去仁，惡乎成名？君子無終食之間違仁，造次必於是，顛沛必於是。」（〈里仁〉）

「志士仁人，無求生以害仁，有殺身以成仁。」（〈衛靈公〉）

「君子之於天下也，無適也，無莫也，義之與比。」（〈里仁〉）

「隱居以求其志，行義以達其道。」（〈季氏〉）

由此可知，孔子是以「仁」或「義」來稱最高的價值理想或人格內涵。「義」表示價值理想是無上的絕對義務，仍是形式上說。眞正說出價值理想的內涵的，是「仁」。所以，可以說「一以貫之」的「一」是「仁」。

三、修養的原則

孔子曾說：「天生德於予，桓魋其如予何！」（〈述而〉）這句話似乎指出他的道德是天生的。但如同他說：「天之未喪斯文也，匡人其如予何？」（〈子罕〉）這些話都在强調道德、人文的運會，有其客觀的條件，不是一兩個人可以毀滅的。孔子也說：「德之不脩，學之不講，聞義不能徙，不善不能改，是吾憂也。」（〈述而〉）可見孔子自己的道德修養，也得於後天的努力，不是自然天成的。

《論語》中每一章都與道德修養有關，孔子指點修養的原則，實在是處處可見，無法一一列舉。談到修養，自然是以孝弟爲先，忠信爲主；事事分辨義利，愼言敏行；時時知恥改過，不驕不惰；還要以友輔仁，見賢思齊。以下試舉有關「慎言敏行」「以友輔仁」二端來說明，其他的部分在此就不再細述了。

㈠慎言敏行

當說「仁」時，祇是「言」說（理論）而已，道德理想最重要的是「行」（實踐）。孔子非常重視言與行的一致，而强調行的重要。孔子論言、行的關係，有以下幾章：

「先行其言，而後從之。」（〈為政〉）

「君子欲訥於言，而敏於行。」（〈里仁〉）

「君子恥其言而過其行。」（〈憲問〉）

「古者言之不出，恥躬之不逮也。」（〈里仁〉）

「其言之不怍，則為之也難！」（〈憲問〉）

「道聽而塗說，德之棄也！」（〈陽貨〉）

「巧言令色，鮮矣仁。」（〈學而〉）

司馬牛問仁。子曰：「仁者，其言也訒。」曰：「其言也訒，斯謂之仁已乎？」子曰：「為之難，言之得無訒乎？」（〈顏淵〉）

「……故君子名之必可言也，言之必可行也。君子於其言，無所茍而已矣！」（〈子路〉）

「君子食無求飽，居無求安，敏於事而慎於言，就有道而正焉，可謂好學也已。」（〈學而〉）

「始吾於人也，聽其言而信其行；今吾於人也，聽其言而觀其行。於予與改是。」（〈公冶長〉）

孔子重視「行」，也不輕視「言」。孔門四科，除了「德行」還有「言語」一科，可以想見「言」在孔門教學的地位。但就道德修養說，言易行難，所以不得不再三地强調「行」。

(二)以友輔仁

孔子說：「德不孤，必有鄰。」（〈里仁〉）所以道德修養不怕沒有志同道合的朋友。別人的優點與缺點，都可作爲自己修養的資助，孔子說：

「見賢思齊焉；見不賢而內自省也。」（《論語．里仁》）

「三人行，必有我師焉；擇其善者而從之，其不善者而改之。」（〈述而〉）

當然最好是多接近益友、賢友：

子貢問為仁。子曰：「工欲善其事，必先利其器。居是邦也，事其大夫之賢者，友其士之仁者。」（〈衛靈公〉）

孔子曰：「益者三友，損者三友：友直，友諒，友多聞，益矣；友便辟，友善柔，友便佞，損矣。」（〈季氏〉）

子曰：「主忠信，毋友不如己者，過則勿憚改。」（〈子罕〉）

曾子說：「君子以文會友，以友輔仁。」（〈顏淵〉）交朋友的目的，在有益於道德修養、增善改過，不能「羣居終日，言不及義，好行小慧。」（〈衞靈公〉），否則不如不交。朋友之間應「忠告而善道之，不可則止，毋自辱焉。」（〈顏淵〉）

便辟、善柔、便佞的損友，不可結交。孔子說：「鄉原，德之賊也！」（〈陽貨〉）這種鄉原也不能做朋友。朋友還有不同的層次，孔子說：「可與共學，未可與適道；可與適道，未可與立；可與立，未可與權。」（〈子罕〉）

對於如何選擇朋友，孔子也有一些提示：

「視其所以，觀其所由，察其所安，人焉廋哉？人焉廋哉？」（〈為政〉）

「眾惡之，必察焉；眾好之，必察焉。」（〈衛靈公〉）

子貢問曰：「鄉人皆好之，何如？」子曰：「未可也。」「鄉人皆惡之，何如？」子曰：「未可也。不如鄉人之善者好之，其不善者惡之。」（〈子路〉）

此外，「有朋自遠方來」固然是人生一大樂事；然而知己難遇，「人不知而不慍」（〈學而〉）不也是君子應有的涵養嗎？孔子說：「不患人之不己知，患不知人也。」（〈學而〉）又說：「不患莫己知，求爲可知也。」（〈里仁〉）他對弟子的勸勉眞是懇切啊！

孔子說：「爲仁由己，而由人乎哉？」（〈顏淵〉）道德修養不論是自己惕勵或與朋友切磋，都是終身之事，所謂「任重而道遠」。也因爲是終身之事，所以才值得一輩子去努力啊！

論士

《論語》中出現「士」字的有十四章。其中有兩章提到的是「士師」，如「柳下惠爲士師……。」（〈微子〉）「孟氏使陽膚爲士師……。」（〈子張〉）「士師」是「獄官」，不是指一般的士來說，在此可以不論。

此外，〈微子〉篇說：「周有八士：伯達、伯适、仲突、仲忽、叔夜、叔夏、季隨、季騧。」此章未指明是孔子所說。此章選錄在以論隱逸爲主的〈微子〉篇中，則此八人或係隱居的賢士，爲孔子所曾稱讚的。

〈微子〉篇又引隱者長沮所說：「……與其從辟人之士也，豈若從辟世之士哉？」「辟世之士」是指隱逸的賢人說；而「辟人之士」係指孔子。在此，「士」似乎是對一般賢德之人的通稱。

孔子又說：「富而可求也，雖執鞭之士，吾亦爲之；如不可求，從吾所好。」（〈述而〉）這裡「執鞭之士」的「士」，又不必是賢人。但是，能執鞭的人至少略具六藝中「御」之一藝，不同於純粹的農人。那麼，似乎有一些才藝的人也可稱之爲「士」了。

不過，孔子曾說：「志士仁人，無求生以害仁，有殺身以成仁。」（〈衛靈公〉）孔子將「志士」與「仁人」並列，都有「殺身以成仁」的道德情操。孟子也說：「志士不忘在溝壑。」（〈滕文公下〉）與孔子意同。可見「志士」與上述「執鞭之士」又不可同日而語。

孔子又說：「工欲善其事，必先利其器。居是邦也，事其大夫之賢者，友其士之仁者。」（〈衛靈公〉）既然有「士之仁者」，必定也有「士之非仁者」，所以「士」不必是「仁人」。雖然如此，《論語》中一般所謂的士，至少不單單有才藝而已，必須是能以道德爲職志的人。我們看以下四章，可以知道孔子對「士」的界說爲何了：

子貢問曰：「何如斯可謂之士矣？」子曰：「行己有恥，使於四方，不辱君命，可謂士矣。」曰：「敢問其次。」曰：「宗族稱孝焉，鄉黨稱弟焉。」曰：「敢問其次。」曰：「言必信，行必果，硜硜然小人哉，抑可以為次矣。」曰：「今之從政者何如？」子曰：「噫！斗筲之人，何足算也！」（〈子路〉）

子曰：「士而懷居，不足以為士矣。」（〈憲問〉）

子曰：「士志於道，而恥惡衣惡食者，未足與議也。」（〈里仁〉）

子路問曰：「何如斯可謂之士矣？」子曰：「切切偲偲，怡怡如也，可謂士矣！朋友切切偲偲，兄弟怡怡。」（〈子路〉）

孔子答子貢所問，以士有高下之別。具備「行己有恥」以及「使於四方，不辱君命」兩個條件的人，可以稱爲「士」。「行己有恥」是德；「使於四方，不辱君命」不祇是德，也涉及才。換句話說，大體上具有相當的德與才的人，可以稱爲「士」。如果不具足這兩個條件，則「宗族稱孝焉，鄉黨稱弟焉。」的人，也可以稱次一等的「士」了。也就是說，以孝弟著稱的人，不論有無其他的美德或才能，也可稱爲「士」。再其次，即使不能孝弟，如果是「言必信，行必果，硜硜然小人」，也算更次一等的「士」。朱註云：「小人，言其識量之淺狹也。」這是指即使識量淺狹，卻言、行誠信的人，也可稱爲「士」。而「今之從政者」不能言、行誠信，而識量又淺狹如斗筲，就絕對沒有資格稱爲「士」了。所以依孔子之意，士的起碼條件是「言必信，行必果」，至於有沒有才藝不是最重要的。

在其次一章，孔子又提出士的消極條件：士不能「懷居」。再次一章，孔子又指出「志於道」的士，不能「恥惡衣惡食」。換句話說，士不僅須有誠信的言行，也應不以物質的生活條件爲意，這是士的必要條件。

回答子路所問時，孔子是就朋友、兄弟的關係來說，大概是因爲子路比較重視朋友這一倫，孔子就由這方面勉勵他，使他易於了解和修養。朱註引胡氏曰：「切切，懇到也。偲偲，詳勉也。怡怡，和顏也。皆子路所不足，故告之。」就士來說，孔子希望子路做到的是：對朋友懇切並能懇勤勉勵；對兄弟則和顏悅色。這些都是由道德來說，或者是因爲就士來說，子路的「才」已不成問題，孔子曾稱許他：「由也，千乘之國可使治其賦也」（〈公冶長〉），所以孔子祇由道德方面指導他。

除了孔子外，《論語》也記載了弟子對士的要求，如曾子曰：「士不可以不弘毅，任重而道遠，仁以爲己任，不亦重乎？死而後已，不亦遠乎？」（〈泰伯〉）曾子認爲士須以仁爲職責，終身弘揚、堅守仁道，這和孔子說：「殺身以成仁。」立意相似。

子張也說：「士見危致命，見得思義，祭思敬，喪思哀，其可已矣。」（〈子張〉）「見危致命」和「殺身以成仁」也同義，而義、敬、哀都是仁的表現。子張又比較重視士的聲聞方面，請見下文：

子張問：「士何如斯可謂之達矣？」子曰：「何哉爾所謂達者？」子張對曰：「在邦必聞，在家必聞。」子曰：「是聞也，非達也。夫達也者，質直而好義，察言而觀色，慮

以下人，在邦必達，在家必達。夫聞也者，色取仁而行違，居之不疑，在邦必聞，在家必聞。」（〈顏淵〉）

子張的缺點，大約是重視外表，所以子游說：「吾友張也，爲難能也，然而未仁。」曾子也說：「堂堂乎張也，難與並爲仁矣！」（〈子張〉）孔子回答子張問「士」之「達」，也就針對子張的缺點糾正之。子張以「聞」爲「達」，孔子指出「聞」祇是「色取仁而行違，居之不疑」。這違反了士的「言必信，行必果」的最低標準，所以不足取。而士的「達」是「質直而好義，察言而觀色，慮以下人」。士必須有「直」「義」等道德的內涵，又有「察言而觀色」的才，以及「慮以下人」的謙德，才能在社會上通達無礙。

孟子對「士」也有所界定，王子墊問曰：「士何事。」孟子曰：「尚志。」曰：「何謂尚志？」曰：「仁義而已矣！……」（〈盡心上〉）士必須以仁義爲職志，孔孟所見無別。

由以上的分析可知，《論語》中所謂的「士」，必須在德行上有起碼的條件，如「言必信，行必果」；而理想的「士」（志士），則必須有「殺身成仁」「見危致命」的崇高道德情操，這是孔孟及孔門弟子的共識。

論君子

一、孔子心目中的君子

孔子以「君子」稱許人，在《論語》中凡四見：

子謂子賤：「君子哉！若人。魯無君子者，斯焉取斯？」（〈公冶長〉）

南宮适問於孔子曰：「羿善射，奡盪舟，俱不得其死然；禹稷躬稼而有天下。」夫子不答。南宮适出。子曰：「君子哉！若人。尚德哉！若人。」（〈憲問〉）

子曰：「君子哉！蘧伯玉。邦有道則仕；邦無道則可卷而懷之。」（〈衛靈公〉）

子謂子產：「有君子之道四焉：其行己也恭，其事上也敬，其養民也惠，其使民也義。」（〈公冶長〉）

由上引第一章，看不出孔子爲什麼稱子賤爲君子。由第二章則可看出，君子並不重視人是否有如羿、奡之才，而重視有如禹稷之德，所以君子須「尚德」。但是君子所尚的德的內容又是什麼呢？接著看第三章就比較明白了，遽伯玉所以被孔子稱許爲君子，乃在於他願意步入仕途，但如果不能實現理想，他也可以離開仕途。這樣進退有度，就是君子之德。子路也曾引孔子的話說：「昔者由也聞諸夫子曰：『親於其身爲不善者，君子不入也。』」（〈陽貨〉）如果執政的人自己「爲不善」，君子不會投身去幫助他的。子產則是在仕途表現君子之道的典範，因而受到孔子的稱讚。

君子所尚之德，其實就是「仁」，請看下列二章：

子曰：「君子去仁，惡乎成名。君子無終食之間違仁，造次必於是，顛沛必於是。」（〈里仁〉）

宰我問曰：「仁者，雖告之曰：『井有仁焉。』其從之也？」子曰：「何為其然也。君子可逝也，不可陷也；可欺也，不可罔也。」（〈雍也〉）

君子在任何情況下，都要求自己不違背仁，離開了仁就不能成「君子」之名。在第二章，孔子就直接以君子來稱宰我所謂的「仁者」。不過，仁者雖然是君子，但君子卻不一定是仁者，所以孔子說：「君子而不仁者有矣夫，未有小人而仁者也。」（〈憲問〉）或許可以這麼說：君子是不違仁而努力求成爲仁者的人。

尚仁德的君子，必然是「好學」「謀道」，而不在意於生活的安飽，下面三章正是此意：

子曰：「君子食無求飽，居無求安，敏於事而愼於言，就有道而正焉，可謂好學也已。」（〈學而〉）

子曰：「君子謀道不謀食。耕也，餒在其中矣；學也，祿在其中矣。君子憂道不憂貧。」（〈衛靈公〉）

子欲居九夷。或曰：「陋，如之何？」子曰：「君子居之，何陋之有？」（〈子罕〉）

弟子直接問「君子」的有五章：

子路問君子。子曰：「脩己以敬。」曰：「如斯而已乎？」曰：「脩己以安人。」曰：「如斯而已乎？」曰：「脩己以安百姓。脩己以安百姓，堯舜其猶病諸！」（〈憲問〉）

子貢問君子。子曰：「先行其言，而後從之。」（〈為政〉）

司馬牛問君子。子曰：「君子不憂不懼。」曰：「不憂不懼，斯謂之君子乎？」子曰：「內省不疚，夫何憂何懼？」（〈顏淵〉）

子路曰：「君子尚勇乎？」子曰：「君子義以為上。君子有勇而無義為亂；小人有勇而無義為盜。」（〈陽貨〉）

子貢曰：「君子亦有惡乎？」子曰：「有惡。惡稱人之惡者，惡居下流而訕上者，惡

勇而無禮者，惡果敢而窒者。」（〈陽貨〉）

君子脩己以敬，言行一致，內省不疚，所以能不憂不懼，不但自安且能安人、安百姓。君子尚義，所以能有勇、有義而不亂。君子也有厭惡之事，即厭惡無德的行爲。

「有勇而無義爲亂」的君子與「有勇而無義爲盜」的小人，其實都是指社會身分來說，非針對尚德不尚德來說。「義以爲上」的君子，才是眞正就尚德來說的君子。

此外，孔子曾說：「先進於禮樂，野人也；後進於禮樂，君子也。如用之，則吾從先進。」（〈先進〉）這段話中的「君子」和「野人」相對，也不是指眞正尚德的君子。這裡的君子，是指薰習禮樂、具有較高社會身分的人（主要是貴族）。

二、聖人、君子與小人

「聖人」是仁且智者，「君子」嚴格地說還不算是十足的「仁者」，所以和聖人也有段距離。雖然如此，能做個唯德是尚的君子，卻很不錯了，因此孔子說：「聖人吾不得而見之矣，得見君子者斯可矣！」（〈述而〉）孔子從來不要求弟子成聖，他自己也不敢居於聖人的地位，但他卻勉勵弟子成爲君子。在《論語》中，孔子很少提到聖人，卻時常談起君子，爲了讓弟子明白什麼是君子，他又常拿小人來和君子作對照，如：

「君子上達；小人下達。」（〈憲問〉）

「君子喻於義；小人喻於利。」（〈里仁〉）

「君子求諸己；小人求諸人。」（〈衛靈公〉）

「君子坦蕩蕩；小人長戚戚。」（〈述而〉）

「君子固窮，小人窮斯濫矣。」（〈衛靈公〉）

「君子周而不比；小人比而不周。」（〈為政〉）

「君子和而不同；小人同而不和。」（〈子路〉）

「君子泰而不驕；小人驕而不泰。」（〈子路〉）

「君子懷德；小人懷土。君子懷刑；小人懷惠。」（〈里仁〉）

「君子成人之美，不成人之惡；小人反是。」（〈顏淵〉）

「君子不可小知，而可大受也；小人不可大受，而可小知也。」（〈衛靈公〉）

「君子易事而難說也。說之不以道，不說也。及其使人也，器之。小人難事而易說也。說之雖不以道，說也。及其使人也，求備焉。」（〈子路〉）

「君子有三畏：畏天命，畏大人，畏聖人之言；小人不知天命而不畏也，狎大人，侮聖人之言。」（〈季氏〉）

上述引文中有關君子「可大受」之義，曾子有一段話可以作更具體的說明，曾子說：「可以託六尺之孤，可以寄百里之命，臨大節而不可奪也。君子人與？君子人也。」（〈泰伯〉）

君子和小人的差別相當明顯，即使身爲「儒」，也有君子、小人之分。孔子有一次就警告子夏說：「汝爲君子儒；無爲小人儒。」（〈雍也〉）「君子儒」唯德是尙（懷德），而「小人儒」則往往追求的是「德」以外的事物（如懷土、懷惠）。

三、如何修養成君子

唯德是尙的君子，如何自我修養而成爲有德的君子呢？孔子的建議是：

「君子義以為質，禮以行之，孫以出之，信以成之，君子哉！」（〈衛靈公〉）

「質勝文則野；文勝質則史。文質彬彬，然後君子。」（〈雍也〉）

「君子博學於文，約之以禮，亦可以弗畔矣夫！」（〈雍也〉）

「義」是「禮」的本質；而「文」是「禮」表現的文采。「義」「禮」「文」三者兼備，文質彬彬，才是君子。至於如何「博學於文，約之以禮」，孔子的教誨是：

「君子不重則不威，學則不固，主忠信，無友不如己者，過則勿憚改。」（〈學而〉）

「君子道者三，我無能焉：仁者不憂，知者不惑，勇者不懼。」（〈憲問〉）

「君子有三戒：少之時，血氣未定，戒之在色；及其壯也，血氣方剛，戒之在鬥；及其老也，血氣既衰，戒之在得。」（〈季氏〉）

「君子有九思：視思明，聽思聰，色思溫，貌思恭，言思忠，事思敬，疑思問，忿思難，見得思義。」（〈季氏〉）

孔子特別重視君子的「行」，他甚至覺得自己在「躬行」上仍做得不夠，因此說：「文莫吾猶人也。躬行君子，則吾未之有得。」（〈述而〉）他也經常要求弟子言行如一，在〈論道德修養〉一章已有說明，孔子對君子修養的其他期勉，見如下述：

「君子病無能焉；不病人之不己知也。」（〈衛靈公〉）

「君子疾沒世而名不稱焉。」（〈衛靈公〉）

「君子之於天下也，無適也，無莫也，義之於比。」（〈里仁〉）

「君子不器。」（〈為政〉）

「君子貞而不諒。」（〈衛靈公〉）

「君子周急不繼富。」（〈雍也〉）

「君子矜而不爭；羣而不黨。」（〈衛靈公〉）

「君子無所爭，必也射乎！揖讓而升，下而飲，其爭也君子。」（〈八佾〉）

「君子不以言舉人；不以人廢言。」（〈衛靈公〉）

「不知命，無以為君子也。」（〈堯曰〉）

「人不知而不慍，不亦君子乎！」（〈學而〉）

孔門弟子也有不少論君子修養的章句：

有子曰：「君子務本，本立而道生。孝弟也者，其為仁之本與！」（〈學而〉）

子貢曰：「君子一言以為知，一言以為不知，言不可不慎也。」（〈子張〉）

子貢曰：「君子之過也，如日月之食焉。過也，人皆見之；更也，人皆仰之。」（〈子張〉）

子貢曰：「紂之不善，不如是之甚也。是以君子惡居下流，天下之惡皆歸焉。」（〈子張〉）

曾子曰：「君子思不出其位。」（〈憲問〉）

曾子曰：「君子以文會友，以友輔仁。」（〈顏淵〉）

曾子曰：「君子所貴乎道者三：動容貌，斯遠暴慢矣；正顏色，斯近信矣；出辭氣，斯遠鄙倍矣。籩豆之事，則有司存。」（〈泰伯〉）

子張曰：「……君子尊賢而容眾，嘉善而矜不能。」（〈子張〉）

子游曰：「昔者偃也聞諸夫子曰：『君子學道則愛人；小人學道則易使也。』」（〈陽貨〉）

子夏曰：「百工居肆以成其事，君子學以致其道。」（〈子張〉）

子夏曰：「雖小道必有可觀者焉，致遠恐泥，是以君子不為也。」（〈子張〉）

子夏曰：「君子有三變：望之儼然，即之也溫，聽其言也厲。」（〈子張〉）

子夏曰：「君子信而後勞其民，未信，則以為厲己也；信而後諫，未信，則以為謗己也。」（〈子張〉）

四、君子與政治

《論語》曾引周公謂魯公曰：「君子不施其親，不使大臣怨乎不以，故舊無大故，則不棄也，無求備於一人。」（〈微子〉）這裡的「君子」顯然係指「國君」來說。「無求備於一人」是說不要求臣子必須是十全十美的。孔子也說過，君子「其使人也，器之」而不「求備焉」（〈子路〉）。

上述周公對君子的主張，孔子更進一步有所引申，孔子說：「君子篤於親，則民興於仁。故舊不遺，則民不偷。」（〈泰伯〉）這段話也顯示了孔子的「德治」思想。

孔子認爲君子的修養會對政治產生決定性的影響。有一次季康子問政於孔子，孔子回答說：「……子欲善而民善矣。君子之德，風；小人之德，草。草上之風必偃。」（〈顏淵〉）孔子對德治理念的生動譬喻，令人印象深刻。

關於君子之德如何表現在政治上，孔子曾對子張有進一步的說明：

子張問於孔子曰：「何如斯可以從政矣？」子曰：「尊五美，屏四惡，斯可以從政矣。」子張曰：「何謂五美？」子曰：「君子惠而不費，勞而不怨，欲而不貪，泰而不驕，威而不猛。」子張曰：「何謂惠而不費？」子曰：「因民之所利而利之，斯不亦惠而不費乎？擇可勞而勞之，又誰怨？欲仁而得仁，又焉貪？君子無眾寡、無小大、無敢慢，斯不亦泰而不驕乎？君子正其衣冠，尊其瞻視，儼然人望而畏之，斯不亦威而不猛乎？」子張曰：「何謂四惡？」子曰：「不教而殺謂之虐，不戒視成謂之暴，慢令致期謂之賊，猶之與人也，出納之吝，謂之有司。」（〈堯曰〉）

如果一個人能具有上述「尊五美，屏四惡」的美德，他不僅在道德上是君子，在政治上也是仁君賢臣了。

論詩禮樂

一、前言

詩、禮、樂三者，在《論語》看來，一方面是個人修養的憑藉；一方面是治國爲政的要件。在孔子的思想中，修己與治人本是一體之兩面，而二者都必以道德仁義爲依據。道德仁義的培養，不論就個人或羣體說，都有待於詩、禮、樂。其實，詩、禮、樂本身就是道德仁義在生活與文化中的具體展現。

孔子說：「興於詩，立於禮，成於樂。」（〈泰伯〉）這是《論語》中，詩、禮、樂三者同時出現的一章。從這章可以看出三者間的次第性。不論是道德人格的養成，或社會文化的發展，都必須先以詩來興發情志，再以禮來規範行爲，進而以樂來圓成生命或生活。禮代表倫理生活；詩與樂代表藝術生活。詩、禮、樂陶冶出盡善、盡美的人生。孔子說：「志於道，據於德，依於仁，游於藝。」（〈述而〉）詩、禮、樂都與「藝」有關，也都以道德仁義爲依歸，這是《論語》論詩、禮、樂的基本且一貫的精神。

二、論詩

《論語》云：「子所雅言，詩、書、執禮，皆雅言也。」（〈述而〉）孔子經常所說的，不外詩、書與執禮三方面。不過，《論語》所記的，關於禮的較多，關於詩、書的較少。《論語》中提及詩或詩篇名的祇有十一章，其中與孔子有關的祇有十章。另外的一章是曾子引詩云：「戰戰兢兢，如臨深淵，如履薄冰。」（〈泰伯〉）。

孔子論詩的功能，如：

「小子！何莫學夫詩？詩，可以興，可以觀，可以羣，可以怨。邇之事父，遠之事君。多識於鳥獸草木之名。」（〈陽貨〉）

「誦詩三百，授之以政，不達；使於四方，不能專對，雖多，亦奚以為？」（〈子路〉）

「不學詩，無以言。」（〈季氏〉）

詩可以興發意志，可以觀察性情，可以與羣親善，可以抒解怨悱。事父之孝，事君之忠都可由此涵養。而且學詩可以知道許多鳥獸草木的名稱，有助於言語表達。因此，學詩有利於人與人之間，性情與語言的溝通，這對爲政或從事外交，都是有益的修養。

學詩所以有利於修養性情與語言，特別是因爲詩的內容極爲雅正，所以孔子說：「詩三百，一言以蔽之，曰：『思無邪』。」（〈爲政〉）詩的「思無邪」，如所謂：「關雎，樂而不淫，哀而不傷。」（〈八佾〉）

孔子也常常和弟子論及詩，《論語》中有以下兩次的記載：

子貢曰：「貧而無諂，富而無驕，何如？」子曰：「可也。未若貧而樂，富而好禮者也。」子貢曰：「詩云：『如切如磋，如琢如磨。』其斯之謂與？」子曰：「賜也！始可與言詩已矣！告諸往而知來者。」（〈學而〉）

子夏問曰：「『巧笑倩兮，美目盼兮，素以為絢兮。』何謂也？」子曰：「繪事後

素。」曰：「禮後乎？」子曰：「起予者商也，始可與言詩已矣！」（〈八佾〉）

三、論禮

禮、樂在儒家的教化中，其功能是不可分的。在儒家文獻中，單舉一個禮字的情形相當多，《論語》也不例外。這時，禮字大體可以涵著樂來說。因此，本節先談禮。

孔子以知禮聞名於當時，雖然如此，他對禮仍是好學不厭、不恥下問。他學禮的態度極為恭謹，這由下面一章可以得見：

> 子入大廟，每事問。或曰：「孰謂鄹人之子知禮乎？入大廟，每事問。」子聞之曰：「是禮也。」（〈八佾〉）

對周代的文化，孔子是當仁不讓地以繼承者自居，他說：「文王既沒，文不在茲乎？天之將喪斯文也，後死者不得與於斯文也。天之未喪斯文也，匡人其如予何？」（〈子罕〉）又說：「周監於二代，郁郁乎文哉，吾從周。」（〈八佾〉）這裡所謂的「文」，大抵是指禮樂。有一次子路問「成人」，孔子回答須有知、不欲、勇、藝，還須「文之以禮樂」（〈憲問〉）禮樂正是孔子繼承自周的人文教養，被孔子視爲「成人」的必要條件。孔子勉勵弟子：「行有餘力，則以學文。」（〈學而〉）聰明如顏回，跟孔子學的也不外此，他說：「夫子循循然善誘人，博我以文，約我以禮。」（〈子罕〉）孔子教學的四大內容：文、行、忠、信，也是以「文」冠首。

孔子不僅嫻習周禮，他對三代之禮，都有相當的了解，因此說：「夏禮，吾能言之，杞不足徵也；殷禮，吾能言之，宋不足徵也。文獻不足故也，足則吾能徵之矣。」（〈八佾〉）由於對三代之禮的沿革，有充分的掌握，孔子深入體會了禮的精義，進而對禮隨時代變遷的原理，也能瞭若指掌。所以他說：

子曰：「殷因於夏禮，所損益可知也；周因於殷禮，所損益可知也；其或繼周者，雖百世可知也。」（〈為政〉）

孔子當然不可能對百世以後的禮，預知其損益的實情；他係經由對三代之禮的觀察，了解禮有所變、有所不變，或禮演變所應遵循的不變原則。既然禮隨著時代而有損益，孔子心目中的禮應非一成不變的。因此，不能簡單地把孔子歸爲保守派。

子貢欲去告朔之餼羊。孔子說：「賜也，爾愛其羊，我愛其禮。」（〈八佾〉）孔子寧願保留已失去實際功能的禮，態度似乎保守。但他珍惜的是告朔禮所涵的意義。所以對美好的傳統，孔子是不輕言廢止的。這種態度並不表示他反對禮制的興革，請看下面一章：

子曰：「麻冕，禮也；今也純，儉。吾從眾。拜下，禮也；今拜乎上，泰也。雖違眾，吾從下。」（〈子罕〉）

由這裡明顯地可以看出，孔子並非一味地固執傳統。因應時代的不同，禮有可變與不可變。但是，變所遵循的原則，並非「從眾」。也就是說，要變或不變，並非取決於多數人。那麼，變不變的原則或標準，究竟是什麼呢？在此，孔子提出「儉」與「泰」。合於「儉」的可從；嫌於「泰」的不可從。强調禮之「儉」的，還有兩章：

林放問禮之本。子曰：「大哉問！禮，與其奢也，寧儉；喪，與其易也，寧戚。」（〈八佾〉）

子曰：「奢則不孫，儉則固；與其不孫也，寧固。」（〈述而〉）

林放所問的是一個很重要的觀念——「禮之本」，因此孔子稱許為「大哉問」。孔子認為禮的根本或準則，是「儉」與「戚」。而「奢」涵著「不孫」，近似上文所說的「泰」，爲孔子所不取。孔子說：「禮云禮云！玉帛云乎哉！樂云樂云！鐘鼓云乎哉！」（〈陽貨〉）禮不止是器物、儀式，更重要的是禮的本質或準則。

上文曾引孔子說：「繪事後素。」子夏由此聯想到：「禮後乎？」（〈八佾〉）孔子非常稱讚。禮是後的，那什麼是禮之先或禮之本呢？孔子說：

「人而不仁，如禮何？人而不仁，如樂何？」（〈八佾〉）

「君子義以為質，禮以行之，孫以出之，信以成之。君子哉！」（〈衛靈公〉）

從這裡可以看出，孔子是以仁義爲禮樂的本質。宰我因三年之喪太久，而說：「君子三年不爲禮，禮必壞；三年不爲樂，樂必崩。」（〈陽貨〉）所以主張縮短爲一年。孔子則以爲「君子之居喪，食旨不甘，聞樂不樂，居處不安，故不爲（禮樂）也。」宰我能安，孔子責其「不仁」。可見「仁」比「爲禮」「爲樂」更具有優先性，而爲禮樂之本質。

孔子說：「質勝文則野，文勝質則史，文質彬彬，然後君子。」（〈雍也〉）有仁義之本質，再文之以禮樂，可成爲君子。

孔子又說：「先進於禮樂，野人也；後進於禮樂，君子也。如用之，則吾從先進。」（〈先進〉）孔子爲何取野人，不取君子；取先進，不取後進？朱註引程子曰：「先進於禮樂，文質得宜，今反謂之質朴，而以爲野人；後進之於禮樂，文過其質，今反謂之彬彬，而以爲君子。」由此可見，禮樂不能離其本質，否則爲孔子所不取。

仁義是禮樂的本質，而仁義的實踐又必透過禮樂。所以當顏淵問仁時，孔子說：「克己復禮爲仁。一日克己復禮，天下歸仁焉。……」又說：「非禮勿視，非禮勿聽，非禮勿言，非禮勿動。」（〈顏淵〉）

禮在道德修養上，居於無與倫比的地位，以下幾章都可以看出孔子對禮的重視：

子曰：「不知禮，無以立也。」（〈堯曰〉）

子曰：「君子博學於文，約之以禮，亦可以弗畔矣夫。」（〈雍也〉）

孟懿子問孝。……子曰：「生，事之以禮；死，葬之以禮，祭之以禮。」（〈為政〉）

子曰：「恭而無禮則勞，慎而無禮則葸，勇而無禮則亂，直而無禮則絞。君子篤於

親，則民興於仁；故舊不遺，則民不偷。」（〈泰伯〉）

子曰：「居上不寬，為禮不敬，臨喪不哀，吾何以觀之哉？」（〈八佾〉）

「不知禮」則無法立身處世，孔子自述「三十而立」，正是「立於禮」。禮，作爲博學的對象時，稱之爲「文」；作爲實際生活的規範（約）時，就稱爲「禮」。對親人的生、死、祭祀，都合於禮，稱之爲「孝」。恭、愼、勇、直，都需要禮的節制才能成爲美德，否則必導致勞、葸、亂、絞。禮有助於篤親、興仁，不遺故舊，使民風敦厚不偷。禮還涵著「寬」「敬」「哀」。

其次，禮既是道德修養所必須，也是治國的法寶，孔子說：

「不能以禮讓為國乎？何者！不能以禮讓為國乎？如禮何！」（〈里仁〉）

「上好禮，則民易使也。」（〈憲問〉）

「君使臣以禮，臣事君以忠。」（〈八佾〉）

「道之以德，齊之以禮，有恥且格。」（〈為政〉）

「知及之，仁能守之，莊以蒞之，動之不以禮，未善也。」（〈衛靈公〉）

「禮樂不興，則刑罰不中；刑罰不中，則民無所措手足。」（〈子路〉）

「天下有道，則禮樂征伐自天子出，天下無道，則禮樂征伐自諸侯出。……」（〈季氏〉）

就治國來說，禮的本質在「禮讓」。所以孔子極爲稱許吳泰伯說：「泰伯其可謂至德也已矣。三以天下讓，民無得而稱焉。」（〈泰伯〉）爲政者如能以禮爲先導，人民較有羞恥心，而易於接受勸使與教化。爲政者雖能知及、仁守，莊重以臨民，如果行事不合於禮，總是未盡善。禮樂比刑罰更具有優先性。天下有道時，禮樂出自天子，而不出於諸侯。所以《中庸》也說：「非天子不議禮，不制度，不考文。……雖有其位，苟無其德，不敢作禮樂焉；雖有其德，苟無其位，亦不敢作禮樂焉。」

孔子的弟子中，除了宰我對禮表示意見外，《論語》中還記了有子論禮之言：

有子曰：「恭近於禮，遠恥辱也。」（〈學而〉）

有子曰：「禮之用，和為貴。先王之道斯為美，小大由之。有所不行，知和而和，不以禮節之，亦不可行也。」（〈學而〉）

在第二章中，有子提到禮的一個很重要觀念：「和」。先王爲政，不論政事大小，都以「和」爲原則（貴）。政治的美妙，就在禮之「和」中。但如果是爲和而和，忽略了禮的節制作用，也是行不通的。有子的這種觀念，應係得自孔子，孔子曾說：「丘也聞有國有家者，不患寡而患不均，不患貧而患不安。蓋均無貧，和無寡，安無傾。夫如是，故遠人不服，則脩文德以來之。旣來之，則安之。」（〈季氏〉）「文德」即是禮，由禮之和可以服「遠人」而「來之」「安之」。

四、論樂

上文論禮時，有時帶著樂說。《論語》中也有些章句是單獨論樂的，現在就這部分來談談。

孔子非常愛好音樂，《論語》中記云：「子與人歌而善，必使反之，而後和之。」（〈述而〉）他幾乎每天唱歌，不唱歌的情形如：「子食於有喪者之側，未嘗飽也。子於是日哭，則不歌。」（〈述而〉）他也經常擊磬，有一位隱者對他磬聲的評語是：「有心哉！擊磬乎！」「鄙哉！硜硜乎！」（〈憲問〉）

孔子的音樂素養很深，他曾在齊國聞韶樂，三月不知肉味，並說：「不圖爲樂之至於斯也！」（〈述而〉）《論語》也記載他的樂評：「子謂韶，盡美矣，又盡善也；謂武，盡美矣，未盡善也。」（〈八佾〉）他欣賞雅樂，斥責鄭聲，如說：

「師摯之始，關雎之亂，洋洋乎盈耳哉！」（〈泰伯〉）

「惡紫之奪朱也，惡鄭聲之亂雅樂也，惡利口之覆邦家者。」（〈陽貨〉）

顏淵問為邦，孔子於是提出他禮樂治國的理想說：「行夏之時，乘殷之輅，服周之冕，樂則韶舞。放鄭聲，遠佞人。鄭聲淫，佞人殆。」（〈衞靈公〉）

孔子與當時的樂師頗有來往，如《論語》云：

師冕見。及階，子曰：「階也。」及席，子曰：「席也。」皆坐，子告之曰：「某在斯，某在斯。」師冕出。子張問曰：「與師言之道與？」子曰：「然，固相師之道也。」（〈衛靈公〉）

他甚至教魯太師音樂的原理：

子語魯大師樂，曰：「樂其可知也：始作，翕如也；從之，純如也，皦如也，繹如也，以成。」（〈八佾〉）

孔子對音樂的整理下過工夫，卓有貢獻，他說：「吾自衞反魯，然後樂正，雅頌各得其所。」（〈子罕〉）這對當時的音樂及樂師，都產生了一定的影響。《論語》曾記說：

大師摯適齊，亞飯干適楚，三飯繚適蔡，四飯缺適秦，鼓方叔入於河，播鼗武入於漢，少師陽、擊磬襄入於海。（〈微子〉）

關於這段記載的意義，朱註引張載說得好：「周衰樂廢，夫子自衞反魯，一嘗治之。其後伶人賤工識樂之正。及魯益衰，三桓僭妄，自大師以下皆知散之四方，逾河蹈海以去亂。聖人俄頃之助，功化如此。如有用我，期月而可，豈虛語哉！」孔子樂教風化之盛，由此約略可見。

總結上論，孔子對詩、禮、樂的教化非常重視。今天，如果我們要使儒家繼續對現代有所貢獻，絕不能忽視詩、禮、樂在生活中的重要功能與意義！

論教育

一、教育的理想與目標

孔子的教育理想與目標，在成就完美的人格，所謂仁人、君子。這樣的人格，能「己欲立而立人」（〈雍也〉）「修己以安人」（〈憲問〉），就是以完美的人格來幫助別人。

完美的人格，即是「成人」。孔子說：「若臧武仲之知，公綽之不欲，卞莊子之勇，冉求之藝，文之以禮樂，亦可以爲成人矣。」（〈憲問〉）朱註引程子曰：「公綽，仁也。」因此「成人」教育的具體目標是知、仁、勇、藝與禮樂之文。知、仁、勇三德，可以「仁」總括之，而「藝」涵著禮樂之文，所以孔子的教育目標又可以化約爲仁與藝。孔子說：「志於道，據於德，依於仁，游於藝。」（〈述而〉）與此目標完全一致。

二、教育精神

㈠重視教育

在人民生活富庶之後，孔子認爲就應推展教育，所謂「庶矣」「富之」「敎之」（〈子路〉）教育在政治上的意義是：「學善而敎不能則勸。」（〈爲政〉）「君子學道則愛人；小人學道則易使也。」（〈陽貨〉）

孔子說：「性相近也，習相遠也。」（〈陽貨〉）因爲「性相近」，所以大多數人受教育的先天能力很相近；因爲「習相遠」，所以後天的教育對大多數人都有用。不過，也許有極少數不能有效地施予教育的人，所謂：「下愚不移」（〈陽貨〉）。但能力不足的下愚之人，孔子也未遇見過，他說：「有能一日用其力於仁矣乎？我未見力不足者，蓋有之矣，我未之見也。」（〈里仁〉）

孔子非常重視後天的學習，孔子對教育功能的積極肯定，是勿庸贅言的。

㈡有教無類

「有教無類」（〈衞靈公〉）是孔子的教育名言。這種教育精神，固然符合了春秋時代社會轉型、士階層興起的需要，也是古今中外任何教育不可或缺的人道精神。祇要肯自我修養的，孔子都願意指導他，所謂：「自行束脩以上，吾未嘗無誨焉。」（〈述而〉）對那些自暴自棄的人，孔子就難以施教了，因此說：「不曰如之何、如之何者，吾末如之何也已矣！」（〈衞靈公〉）「困而不學，民斯爲下矣！」（〈季氏〉）

出身卑微如仲弓，孔子仍盡心教導，終成孔門十大弟子，孔子讚美他說：「犁牛之子，騂且角，雖欲勿用，山川其舍諸？」（〈雍也〉）

孔子不拒絕「空空如也」的鄙夫（〈子罕〉），也接見難以教化的互鄉人，說：「與其進也，不與其退也。唯何甚！人潔己以進，與其潔也，不保其往也。」（〈述而〉）

孔子教育學生，不但不論學生的貴賤，也不挑剔學生的資質。孔門弟子資質不齊，孔子曾說：「柴也愚，參也魯，師也辟，由也喭。」（〈先進〉）但孔子都盡力予以裁成。有一次南郭惠子問子貢：「夫子之門，何其雜也？」子貢曰：「君子正身以俟，欲來者不距（同「拒」），欲去者不止。且夫，良醫之門多病人，檃栝之側多枉木，是以雜也。」（《荀子．法行》）

孔門弟子雖然資質不一，但他要求弟子至少須具備狂或狷的氣質，他說：「不得中行而與

之，必也狂狷乎！狂者進取，狷者有所不爲也。」（〈子路〉）

㈢誨人不倦

孔子說：「默而識之，學而不厭，誨人不倦，何有於我哉？」（〈述而〉）孔子的教育，既是無人不可以受教，也是無時無地不可以施教，且傾囊相授，毫無保留。孔子說：「二三子以我爲隱乎？吾無隱乎爾，吾無行而不與二三子者，是丘也。」（〈述而〉）

《論語》首章說：「學而時習之，不亦說乎？有朋自遠方來，不亦樂乎？人不知而不慍，不亦君子乎？」這是孔子勉勵學生的話，其實也是他自己的現身說法。「學而時習之，不亦說乎？」是學不厭；「有朋自遠方來，不亦樂乎？」是得朋友切磋所學，甚至得師生教學相長之益；「人不知而不慍，不亦君子乎？」依邢昺疏：「君子易事，不求備於一人，故爲教誨之道，若有人鈍根不能知解者，君子恕之而不慍怒也。」則「人不知而不慍」是教不倦了。因爲有教無類與誨人不倦，孔子培養了許多傑出的學生。

三、教學內容

《論語》：「子所雅言：詩、書、執禮，皆雅言也。」（〈述而〉）孔子經常講授的是詩、書和禮。詩、禮都涵著樂，所以孔門的基本課程是以詩、書、禮、樂爲主。《史記．孔子世家》說：「孔子以詩、書、禮、樂教弟子。」的確不錯。

在詩、書、禮、樂四者中，孔子比較强調詩、禮、樂，他說：「興於詩，立於禮，成於樂。」（〈泰伯〉）尤其是詩與禮，他說：「不學詩，無以言。」「不學禮，無以立。」（〈季氏〉）他不僅要學生學詩與禮，也督促自己的兒子伯魚學。

《論語》說：「子以四教：文、行、忠、信。」（〈述而〉）「文」可以包括詩、書、禮、樂；「行」指「文」的基礎──道德實踐；忠、信指道德實踐的基礎──忠信的人格品質。《論語》記云：「德行：顏淵、閔子騫、冉伯牛、仲弓；言語：宰我、子貢；政事：冉有、季路；文學：子游、子夏。」（〈先進〉）據此，孔門的教育課程應包含這四個領域。「德行」指忠信的品格與實踐；「言語」以信爲原則；「政事」以忠爲首要；「文學」包含詩、書、禮、樂。這四個領域，正是「文、行、忠、信」四教的具體化。

孔子的教育目標是在修己以安人，因此對科學、技術比較少涉及。樊遲請學稼、學爲圃時，孔子便說：「吾不如老農」「吾不如老圃」（〈子路〉）。這決非輕視科技知識，而是所重者不在此。

此外，孔子重視「下學而上達」，教「文章」而不談「性與天道」，這也充分顯現孔子教學內容務實的一面。

四、教學原則

孔子不但熱心教育，他的教學也運用了許多正確的教學原則。顏回稱讚孔子「循循然善誘人」，使他「欲罷不能」（〈子罕〉），正說明了孔子教學的成功。以下介紹孔子的教學原則。

㈠身教和潛移默化原則

孔子說：「吾無行而不與二三子者，是丘也。」（〈述而〉）孔子正是以行來示教，不徒託空言。有一次孔子說：「予欲無言。」子貢問說：「子如不言，則小子何述焉？」孔子說：「天何言哉？四時行焉，百物生焉，天何言哉？」（〈陽貨〉）由此可見，孔子的教學有在言教之外者。孔子說：「其身正，不令而行；其身不正，雖令不從。」（〈子路〉）雖說的是政治，也顯示身教力量的偉大。

孔子自己的好學不厭、誨人不倦，就是很好的身教，在潛移默化中影響了弟子。孔子日常生活的言行舉止，《論語》中頗多記載，尤其〈鄉黨〉篇中弟子的記述極爲詳切。孔子的待人接物，處處都給學生作了示範。如《論語》記載他如何對待瞽眼的樂師：

師冕見，及階，子曰：「階也。」及席，子曰：「席也。」皆坐，子告之曰：「某在斯，某在斯。」師冕出，子張問曰：「與師言之道與？」子曰：「然，固相師之道也。」（〈衛靈公〉）

(二)自動原則

孔子說：「不憤不啓，不悱不發，舉一隅，不以三隅反，則不復也。」（〈述而〉）他希望學生能自動地學習。自動學習的動力在「立志」。他鼓勵學生立志，所謂：「三軍可奪帥也，匹夫不可奪志也。」（〈子罕〉）「苟志於仁矣，無惡也。」（〈里仁〉）「士志於道，而恥惡衣惡食者，未足與議也。」（〈里仁〉）孔子自己則是「十有五而志於學。」（〈爲政〉）在「志於道」上，他是「朝聞道，則夕死可矣！」（〈里仁〉）

《論語》記了兩次孔子與弟子「各言其志」之事。而他的學生子夏也强調「篤志」，說：「博學而篤志，切問而近思，仁在其中矣。」（〈子張〉）

下文提及的啓發教學法、自學輔導法，都是自動原則的實際應用。

(三)知行合一原則

《論語》全書的第一句話就是「學而時習之」。「學」是求知；「時習」則是力行。這句話表示了孔子教學重視知行合一。

「行」是孔子四教「文、行、忠、信」之一。四教雖然以「文」居首，但這是就教學的次第說，如就人格教育的目標來說，「行」無疑比「文」更居重要的地位，所以孔子說：「行有餘力，則以學文。」（〈學而〉）孔子對「行」的自我要求很高，他說：「文莫，吾猶人也。躬行君子，則吾未之有得。」（〈述而〉）

孔子勸學生學「詩」，但更強調將詩用在行事之中，所謂：「誦詩三百，授之以政，不達；使於四方，不能專對；雖多，亦奚以爲？」（〈子路〉）孔子鼓勵學生博學多聞，但更重視學生的改過向善，他說：「法語之言，能無從乎？改之爲貴。巽與之言，能無說乎？繹之爲貴。說而不繹，從而不改，吾末如之何也已矣！」（〈子罕〉）

好學而又能改過向善，是知行合一的具體表現。在弟子中最能即知即行的，要數最好學，又能「不貳過」「三月不違仁」的顏回。孔子稱讚他說：「吾與回言終日，不違如愚。退而省其私，亦足以發，回也不愚。」（〈爲政〉）其次是子路，所謂：「子路有聞，未之能行，唯恐又聞。」（〈公冶長〉）孔子最疼愛這兩個學生，不是沒有道理的。

「知」是以「言」來表示的，所以「知行合一」的具體落實，即是「言行一致」。孔子非常重視言行一致，這方面的章句不少，在〈論道德修養〉的部分已經談過，在此不再重複。

㈣先博後約原則

孔子說：「君子博學於文，約之以禮，亦可以弗畔矣夫。」（〈雍也〉）顏回讚嘆孔子的教學，也說：「夫子循循然善誘人，博我以文，約我以禮。」（〈子罕〉）「博文」是「知」；「約禮」是「行」。就教學次第說，「知」在「行」前。「知」務求「博」；「行」則須「約」。達巷黨人稱孔子「博學而無所成名。」（〈子罕〉）孔子自己也說：「蓋有不知而作之者，我無是也。多聞，擇其善者而從之；多見，而識之，知之次也。」（〈述而〉）孔子也要學生「多聞」「多見」，「多識於鳥獸草木之名」（〈陽貨〉），並以「友多聞」爲「益者三友」之一（〈季氏〉）。

但「博學」之後，應求貫通。有一次孔子問子貢：「賜也，女以予爲多學而識之者與？」子貢說：「然，非與？」孔子說：「非也。予一以貫之。」（〈衞靈公〉）曾子說「一以貫之」是「忠恕」（〈里仁〉），可見是屬於「行」的層次。

孔門弟子中，子夏比較强調博學，他說：「博學而篤志，切問而近思，仁在其中矣。」而且以「好學」是：「日知其所亡，月無忘其所能。」（〈子張〉）但孔子怕他只一味求博，曾警惕他說：「女爲君子儒，無爲小人儒。」（〈雍也〉）

㈤心理適應原則

「心理適應原則」是指教學須適應學生的心理特性，配合學生身心發展的時機，以得到最好的教學效果。這正是《禮記．學記》所謂：「當其可之謂時」「時過然後學，則勤苦而難成」。

孔子注意到學生的心理因素和教學之間的關係。如他歸納出四種學習型態的學生：「生而知之者，上也；學而知之者，次也；困而學之，又其次也；困而不學，民斯為下矣。」（〈季氏〉）他也觀察到在不同的人生階段，會表現出不同的心理特徵，而各有對治之方，如：「少之時，血氣未定，戒之在色；及其壯也，血氣方剛，戒之在鬥；及其老也，血氣既衰，戒之在得。」（〈季氏〉）

孔子勸人為學要趁年少，他說：「後生可畏，焉知來者之不如今也。四十、五十而無聞焉，斯亦不足畏也已。」（〈子罕〉）

孔子說：「聽其言而觀其行。」（〈季氏〉）他有一套觀察人格心理的方法，他說：「視其所以，觀其所由，察其所安，人焉廋哉！人焉廋哉！」（〈為政〉）後來孟子也精於觀人之術，他說：「存乎人者，莫良於眸子，眸子不能掩其惡。胸中正，則眸子瞭焉；胸中不正，則眸子眊焉。聽其言也，觀其眸子，人焉廋哉！」（〈離婁上〉）

孔子甚至由人所犯過失的類型，可以判斷其道德人格的特徵，他說：「人之過也，各於其黨，觀過，斯知仁矣。」（〈里仁〉）他還常常藉著和學生談話的方法，來了解學生的志趣或性向。

《論語》中記載許多孔子對學生人格心理的評鑑，如：

閔子侍側，誾誾如也；子路，行行如也；冉有、子貢，侃侃如也。子樂。「若由也，不得其死然。」（〈先進〉）

柴也愚，參也魯，師也辟，由也喭。子曰：「回也其庶乎，屢空；賜不受命，而貨殖焉，億則屢中。」（〈先進〉）

「師也過，商也不及。」（〈先進〉）

「棖也慾，焉得剛？」（〈公冶長〉）

「由也果，……賜也達，……求也藝。」（〈雍也〉）

「求也退，故進之；由也兼人，故退之。」（〈先進〉）

㈥個別適應原則

由於孔子對學生人格心理觀察入微，故能適應學生的天資、性向、興趣、年齡和需要，予以因材施教，有所裁成。以下是個明顯的例子：

子路問：「聞斯行諸？」子曰：「有父兄在，如之何其聞斯行之？」冉有問：「聞斯行諸？」子曰：「聞斯行之。」公西華曰：「由也問：『聞斯行諸？』子曰：『有父兄在。』求也問：『聞斯行諸？』子曰：『聞斯行之。』赤也惑，敢問。」子曰：「求也退，故進之；由也兼人，故退之。」（〈先進〉）

不同的學生問同樣的問題，如問孝、問仁、問政、問士、問君子，孔子都能因學生情況的不同，給予不同的回答。即使同一位學生，在不同的時間問同樣的問題，孔子也會因發問的情況，給予不同的回答，如樊遲問仁三次，孔子的回答前後互異。

孔子說：「中人以上，可以語上也；中人以下，不可以語上也。」（〈雍也〉）又說：「可與言而不與之言，失人；不可與之言而與之言，失言。知者不失人，亦不失言。」（〈衞靈公〉）孔子對學生有時甚至以不教教之，如：「孺悲欲見孔子，孔子辭以疾。將命者出戶，取瑟而歌，使之聞之。」（〈陽貨〉）後來孟子也說：「教亦多術矣，予不屑之教誨也者，是亦教誨之而已矣。」（〈告子下〉）「不屑之教誨」並非永遠不教，祇是暫時不教，所以〈學記〉說：「力不能問，然後語之；語之而不知，雖舍之可也。」

因爲孔子的教學能個別適應學生之差異，所以他的學生隨才性的不同，成就也是多方面的，因此孔門有所謂德行、言語、政事、文學四科。

(七)機會教學原則

孔子的因材施教，也會配合適當的時機作機會教學。

有一次，魯大夫孟懿子問孝，孔子說：「無違。」後來樊遲爲孔子駕車，孔子就提起這事問樊遲，樊遲果然不懂什麼叫「無違」，問說：「何謂也？」孔子說：「生事之以禮，死葬之以禮，祭之以禮。」（〈爲政〉）這是孔子知道樊遲不了解孝，主動利用機會教他。

孔子曾對顏回說：「用之則行，舍之則藏，惟我與爾有是夫。」子路見孔子稱讚顏回，似乎不太服氣，就問孔子：「子行三軍則誰與？」孔子乃針對子路毛躁自專的個性說：「暴虎馮河，死而無悔者，吾不與也。必也臨事而懼，好謀而成者也。」（〈述而〉）

又有一次，因爲有小孩唱道：「滄浪之水清兮，可以濯我纓；滄浪之水濁兮，可以濯我

足。」孔子利用這個機會教學生們說：「小子聽之：淸斯濯纓，濁斯濯足矣，自取之也。」（《孟子．離婁上》）

㈧學思並重原則

孔子說：「學而不思則罔，思而不學則殆。」（〈爲政〉）「學」與「思」二者同樣重要。孔子主張「多聞闕疑」「多見闕殆」（〈爲政〉）就是一方面重視多聞多見的學習，一方面對可疑之處也要有存疑的思考態度。

孔子說：「君子有九思，視思明，聽思聰，色思慍，貌思恭，言思忠，事思敬，疑思問，忿思難，見得思義。」（〈季氏〉）這是指出在學、行上都要重視「思」。但也不能太偏重思，他說：「吾嘗終日不食，終夜不寢，以思，無益，不如學也。」（〈衞靈公〉）而季文子三思而行，孔子以爲不妥，而說：「再，斯可以矣！」（〈公冶長〉）當然，對不肯用心思考的人，孔子也會提出告誡說：「不曰如之何、如之何者，吾末如之何也已矣！」（〈衞靈公〉）

㈨客觀原則

孔子的爲人態度頗爲客觀，所謂：「子絕四：毋意，毋必，毋固，毋我。」（〈子罕〉）這樣的客觀態度也表現在教學上。孔子反對「道聽而塗說」（〈陽貨〉），主張「知之爲知之，不知爲不知，是知也。」（〈爲政〉）他告訴學生：「多聞闕疑，愼言其餘」「多見闕殆，愼行其餘」（〈爲政〉）「亡而爲有，虛而爲盈，約而爲泰，難乎有恆矣。」（〈述而〉）他自己「入太廟，每事問」（〈八佾〉），「焉不學，亦何常師之有」（〈子張〉），正是客觀原則的一種實踐。

也因爲孔子的客觀態度，他對「怪、力、亂、神」絕口不談（〈述而〉）。他說：「務民之義，敬鬼神而遠之，可謂知矣。」（〈雍也〉）「祭神如神在。」（〈八佾〉）他拒絕和子路談「事鬼神」與「死」的問題（〈先進〉）。他很少談「命」（〈子罕〉）與「天道」（〈公冶長〉）。他也不向神祈禱（〈述而〉）。這些都與他「知之爲知之，不知爲不知」的客觀精神一致。

(十)興趣原則

孔子很重視學習所帶來的樂趣。《論語》第一章就指出：「學而時習之，不亦說乎！有朋自遠方來，不亦樂乎！」他自己是「發憤忘食，樂以忘憂，不知老之將至。」（〈述而〉）正是因爲學習的樂趣，才使他「學而不厭」（〈述而〉）。他也讚揚好學的顏回「人不堪其憂，回也不改其樂。」（〈雍也〉）孔子認爲學習到達「樂」才是最高境界。他說：「知之者不如好之者；好之者不如樂之者。」（〈雍也〉）

㈩循序漸進原則

孔子曾自述為學循序漸進的次序，由「吾十有五而志於學」，以至「七十而從心所欲，不踰矩。」（〈為政〉）這就是孔子自稱的「下學而上達」（〈憲問〉）

孔子說：「興於詩，立於禮，成於樂。」（〈泰伯〉）則詩、禮、樂三者的教學有次第性。孔子督促伯魚為學，也是先教他學詩，再教他學禮（〈季氏〉）。孔子說：「可與共學，未可與適道；可與適道，未可與立；可與立，未可與權。」（〈子罕〉）這也顯示為學的層次性。此外，「脩己以敬」「脩己以安人」「脩己以安百姓」（〈憲問〉）則表現道德修養的次第性。

孔門弟子中，子夏特別強調為學的次第性，請見下文：

> 子游曰：「子夏之門人小子，當灑掃、應對、進退則可矣。抑末也，本之則無。如之何？」子夏聞之曰：「噫！言游過矣。君子之道孰先傳焉，孰後倦焉，譬諸草木，區以別矣。君子之道，焉可誣也。有始有卒者，其唯聖人乎！」（〈子張〉）

㈫同時學習原則

「同時學習原則」是指在一種學習活動中，可以同時學到許多不同的事物，如知識、技能、態度、理想、觀念、興趣、情感等。如孔子說：「小子！何莫學詩？詩可以興，可以羣，可以怨；邇之事父，遠之事君；多識於鳥、獸、草、木之名。」（〈陽貨〉）這就是說，學詩可以同時學到許多事物，得到各種不同的教育成果。

㈢環境原則

「環境原則」是重視環境對教學的正負影響，使教學能在適當的情境中進行，以達到最好的效果。孔子說：「性相近也，習相遠也。」（〈陽貨〉）「習」便與環境的熏習有關。好的環境，可以涵養美德，所謂：「里仁爲美，擇不處仁，焉得知？」（〈里仁〉）

朋友對學習的影響，可以視爲一種環境的影響，對於這方面孔子相當重視。而有「益者三友，損者三友」（〈季氏〉）之說。子路問「士」，孔子回答說：「朋友切切、偲偲，兄弟怡怡。」（〈子路〉）子貢問「爲仁」，孔子說：「事其大夫之賢者，友其士之仁者。」（〈衞靈公〉）孔子且以「有朋自遠方來」（〈學而〉）爲人生悅事。他說：「三人行必有我師，擇其善者而從之，其不善者而改之。」（〈述而〉）曾子也認爲君子必須「以文會友，以友輔仁。」（〈顏淵〉）〈學記〉說：「相觀而善之謂摩。」「獨學而無友，則孤陋而寡聞。」即是重視朋友觀摩切磋之益。

㈣社會化原則

「環境原則」是指教學時注意環境所造成的影響，以利教學；而「社會化原則」是指利用教學活動，陶冶羣性，使學生能成爲「社會人」，以自我實現、服務人羣。這是教學的社會化。「個別適應原則」使人盡其才；「社會化原則」使材盡其用。曾子主張「以文會友」，也有社會化的意義。

儒家思想重視倫理教育，己立立人，由修身而齊家、治國、平天下，便是一種社會化的歷程。孔子的教學與學生具體生活、社會禮樂制度密切結合，教育即生活，處處符合社會化原則。孔子施行團體教學，經常共同討論，師生長期生活在一起，自然有很好的社會化效果。

孔子反對「羣居終日，言不及義」（〈衛靈公〉），卻非常鼓勵容忍異己的社會化。他說：「君子矜而不爭，羣而不黨。」（〈衛靈公〉）「君子和而不同，小人同而不和。」（〈子路〉）他鼓勵學生學詩，因爲詩「可以羣」（〈陽貨〉）。

五、教學方法

㈠啓發教學法

當學生有問題不能解決時，教師把握學生學習的強烈動機，啓發並誘導他學習、思考，以自行領會問題之關鍵，尋求解答。孔子說：「不憤不啓，不悱不發，舉一隅，不以三隅反，則不復也。」（〈述而〉）這就是啓發教學法。實際的例子請看下文：

子夏問曰：「『巧笑倩兮，美目盼兮，素以為絢兮。』何謂也？」子曰：「繪事後素。」曰：「禮後乎？」子曰：「起予者商也，始可與言詩已矣！」（〈八佾〉）

子夏問詩句之義，孔子只簡單地提示詩句的基本含義：「繪事後素。」卻啓發出子夏「禮後」的見解。再看以下一例：

子貢曰：「貧而無諂，富而無驕，何如？」子曰：「可也。未若貧而樂，富而好禮者也。」子貢曰：「詩云：『如切如磋，如琢如磨。』其斯之謂與？」子曰：「賜也！始可與言詩已矣！告諸往而知來者。」（〈學而〉）

子貢提出一種人格修養，孔子則指出更進一層的修養來啓發他。子貢果然有所體會。而孔子的回答又啓發子貢對詩句「如切如磋，如琢如磨」的了解。這種「告諸往而知來者」的方式，就是啓發教學法。

㈡自學輔導法

「自學輔導法」是由教師把學習的目標、性質、方法或內容告訴學生，然後鼓勵學生自己自動學習。這種教學法能配合學生的性向和需要，適應個別差異，與前述「啓發教學法」精神一致，相輔相成。孔子鼓勵自學的話有：

「為仁由己，而由人乎哉！」（〈顏淵〉）

「古之學者為己；今之學者為人。」（〈憲問〉）

「不曰如之何、如之何者，吾末如之何也已矣。」（〈衛靈公〉）

「譬如為山，未成一簣，止，吾止也。譬如平地，雖覆一簣，進，吾往也。」（〈子

罕〉）

孔子教自己的兒子伯魚，也用自學輔導法，請看下文：

陳亢問於伯魚曰：「子亦有異聞乎？」對曰：「未也。嘗獨立。鯉趨而過庭。曰：『學詩乎？』對曰：『未也。』『不學詩，無以言。』鯉退而學詩。他日又獨立。鯉趨而過庭。曰：『學禮乎？』對曰：『未也。』『不學禮，無以立。』鯉退而學禮。聞斯二者。」陳亢退而喜曰：「問一得三：聞詩、聞禮，又聞君子之遠其子也。」（〈季氏〉）

(三)問答與討論教學法

孔子教學最基本的方法，就是問答法。《論語》是孔門師生問答的實錄。孔子能隨發問者的資質、程度和需要，配合當時的情況，作適切的回答。他藉著答問來因材施教。

孔子非常鼓勵學生發問，孔子以「疑思問」（〈季氏〉）爲君子九思之一。他自己則是「入太廟，每事問。」（〈八佾〉）學生如果問了一個好問題，他會興奮地說：「大哉問！」（〈八佾〉）「善哉問！」（〈顏淵〉）孔子曾對「文」下了一個界說：「敏而好學，不恥下問，是以謂之文也。」（〈公冶長〉）而顏回的長處之一，就是「以能問於不能，以多問於寡。」（〈泰伯〉）

問答教學法的成功，除了教師循循善誘外，也跟學生會不會發問有關。所以《論語》有所謂「切問」，《中庸》則強調「審問」。〈學記〉說：「善問者，如攻堅木，先其易者，後其節目，及其久也，相說以解。不善問者，反此。」孔子的學生在發問時，也頗能掌握先易後難、先略後詳、層層逼進的原則，如：

子路問君子。子曰：「脩己以敬。」曰：「如斯而已乎？」曰：「脩己以安人。」曰：「如斯而已乎？」曰：「脩己以安百姓。脩己以安百姓，堯舜其猶病諸！」（〈憲問〉）

子適衛，冉有僕。子曰：「庶矣哉！」冉有曰：「既庶矣，又何加焉？」曰：「富之。」曰：「既富之，又何加焉？」曰：「教之。」（〈子路〉）

子貢問政。子曰：「足食，足兵，民信之矣。」子貢曰：「必不得已而去，於斯三者何先？」曰：「去兵。」子貢曰：「必不得已而去，於斯二者何先？」曰：「去食。自古皆有死，民無信不立。」（〈顏淵〉）

子貢問曰：「何如斯可謂之士矣？」子曰：「行己有恥，使於四方，不辱君命，可謂士矣。」曰：「敢問其次？」子曰：「宗族稱孝焉，鄉黨稱弟焉。」曰：「敢問其次？」曰：「言必信，行必果，硜硜然小人哉，抑可以為次矣。」（〈子路〉）

子貢問曰：「鄉人皆好之，何如？」曰：「未可也。」「鄉人皆惡之，何如？」子曰：「未可也。不如鄉人之善者好之，其不善者惡之。」（〈子路〉）

孔子有時也用反問的方式，使學生發現自己思想或行爲的錯誤、矛盾、缺漏，或察覺事實眞象，覺悟眞理。如子貢好批評人，孔子就反問：「賜也賢乎哉？夫我則不暇。」（〈憲問〉）又如孔子說：「有鄙夫問於我，空空如也，我叩其兩端而竭焉。」（〈子罕〉）他從正反兩端來反問，使發問者自己找到問題的正確答案。

如果師生多人對一個問題表示意見、反覆問答，就形成討論的活動，於是「問答教學法」變成「討論教學法」。這種情況在孔門中屢見不鮮，就不再舉例了。

六、教學技巧

「教學技巧」與「教學方法」不同。「教學方法」是指教師進行教學所採用的主要方式或形式。「教學技巧」是在各種形式教學方法中皆可使用的一些基本技巧。

㈠比喻

孔子教學時常常使用比喻，在簡單的比喻中，往往蘊含豐富的人生體驗和耐人尋味的哲理，如：

子曰：「為政以德，譬如北辰，居其所，而眾星拱之。」（〈為政〉）

子曰：「歲寒，然後知松柏之後彫也。」（〈子罕〉）

子在川上。曰：「逝者如斯夫，不舍晝夜。」（〈子罕〉）

孔子的弟子子貢也善於用比喻，如：

子貢曰：「有美玉於斯，韞匵而藏諸？求善賈而沽諸？」子曰：「沽之哉！沽之哉！我待賈者也。」（〈子罕〉）

㈡比較

這是將兩種以上的人或事物放在一起比較，讓學生分別其中的差異。如孔子常常把君子和小人放在一起比較，其他如比較仁與知、仁者與勇者、仁者與不仁者、文與質、奢與儉、聞與達、狂與狷、貧與富、古與今、德禮與政刑、韶樂與武樂、益者三友與損者三友、益者三樂與損者三樂等。孔子也把不同的學生放在一起作比較，以指出各人的長處和特色，如：

子謂子貢曰：「女與回也孰愈？」對曰：「賜也何敢望回。回也聞一以知十；賜也聞一以知二。」子曰：「弗如也。吾與女弗如也。」（〈公冶長〉）

孔子的學生有時也用比較的方式問孔子問題，如：

子貢問：「師與商也孰賢？」子曰：「師也過，商也不及。」曰：「然則師愈與？」子曰：「過猶不及。」（〈先進〉）

㈢歸納與演繹

孔子常把三個以上的人或事物放在一起，以互相比較，並藉此歸納出一些爲學與做人的道理。孔子的教學都是他生活智慧的歸納，所以這方面的例子實在隨處都是。如：

子曰：「女聞六言六蔽矣乎？」對曰：「未也。」「居，吾語女：好仁不好學，其蔽也愚；好知不好學，其蔽也蕩；好信不好學，其蔽也賊；好直不好學，其蔽也絞；好勇不好學，其蔽也亂；好剛不好學，其蔽也狂。」（〈陽貨〉）

子曰：「君子食無求飽，居無求安，敏於事而慎於言，就有道而正焉，可謂好學也已。」（〈學而〉）

「歸納」也是「先博後約」的一種應用。孔子希望學生能由博學之中，歸納出簡要的原則，作爲道德生活的依據（約之以禮）。

有時孔子也用演繹的方式展現一種道理來教學生，如：

子曰：「……名不正，則言不順；言不順，則事不成；事不成，則禮樂不興；禮樂不興，則刑罰不中；刑罰不中，則民無所措手足。故君子名之必可言也，言之必可行也。……」（〈子路〉）

四鼓勵與申誡

孔子教學似乎未曾用過體罰。他只有對學生給予適時的鼓勵或申誡。他視學生有無限發展的可能，他說：「後生可畏，焉知來者之不如今也。」（〈子罕〉）他最常稱讚的學生是顏回，偶而也稱讚子貢、子夏、公冶長、南容、子賤、仲弓、子路、冉求、閔子騫等人。《論語》中記載受過申誡的弟子，有子路、宰予、冉求等人。孔子罵子路雖多，但也常稱許鼓勵他，有時是先褒後貶，有時是先貶後褒，如：

子曰：「衣敝縕袍，與衣狐貉者立，而不恥者，其由也與？『不忮不求，何用不臧？』」子路終身誦之。子曰：「是道也，何足以臧？」（〈子罕〉）

子曰：「由之瑟奚為於丘之門？」門人不敬子路。子曰：「由也升堂矣，未入於室也。」（〈先進〉）

孔子對學生不論是鼓勵或申誡，都有教育的深意在焉。

七、爲師之道與師生關係

孔子非常重視師道，他說：「三人行必有我師，擇其善者而從之，其不善者而改之。」（〈述而〉）子貢也稱讚孔子：「夫子焉不學，亦何常師之有？」（〈子張〉）孔子說：「溫故而知新，可以爲師矣。」（〈爲政〉）所以成爲教師的基本條件，是教師須不斷吸收現有的知識，而且能發展出新的知識。換句話說，教師必須「好學不厭」。其次，他必須能「誨人不倦」。孔子自己做到這兩點，成爲萬世師表。

學生擇師而學，是「就有道而正焉」（〈學而〉），並非迷信權威。孔子鼓勵學生學思並重，多聞闕疑，並且「當仁不讓於師」（〈衛靈公〉）。孔子非常看重學生，認爲「後生可畏」（〈子罕〉）。他不要學生對老師所說的話「不違如愚」（〈爲政〉）。他更希望藉由學生的質疑而能教學相長，所以他說：「回也，非助我者也，於吾言無所不悅。」（〈先進〉）

孔子對學生的要求固然嚴格，有時甚至嚴厲地訓誡，但正是愛之深，責之切。有人詆毀孔子，學生便嚴詞予以駁斥。孔子在時人面前，也總是稱許自己的學生，希望他們有機會用世，一展所學。孔子這樣愛護和照顧學生，視之如子，難怪學生視之如父。孔子死後，許多學生自動為他守喪三年。孔門師生倫理之敦厚，實在值得現代人學習呢！

論政治

一、政治的理想及其實現

孔子對春秋時代的現實政治，頗爲不滿，時有批評。以下是兩段孔子對時政的重要評論：

孔子曰：「天下有道，則禮樂征伐自天子出；天下無道，則禮樂征伐自諸侯出。自諸侯出。蓋十世希不失矣。自大夫出，五世希不失矣。陪臣執國命，三世希不失矣。天下有道，則政不在大夫；天下有道，則庶人不議。」（〈季氏〉）

孔子曰：「祿之去公室，五世矣；政逮於大夫，四世矣。故夫三桓之子孫微矣。」（〈季氏〉）

孔子對現實政治的評論，並非毫無標準的，他所依據的是周禮，他說：「周監於二代。郁郁乎文哉，吾從周。」（〈八佾〉）孔子對自己的期許是：「如有用我者，吾其爲東周乎！」（〈陽貨〉）他一生夢想實現周公的政治理想，直到晚年這一夢想都未能實現，孔子感慨地說：「甚矣！吾衰也。久矣！吾不復夢見周公。」（〈述而〉）

孔子在政治上堅持周禮，態度似乎保守，但他也說：「殷因於夏禮，所損益可知也。周因於殷禮，所損益可知也。其或繼周者，雖百世可知也。」（〈爲政〉）傳統本來有必須堅持的部分，但也有可以損益的部分，他並非一味地保守。

在回答葉公問政時，孔子說：「近者說，遠者來。」（〈子路〉）這眞是言簡意賅。能使人民不分遠近，都感滿意的政治，就是理想的政治。這是古今中外任何政治思想不能違背的標準。不過，這樣的政治理想，並不是短時間可能實現的，所以孔子說：

「『善人為邦百年，亦可以勝殘去殺矣。』誠哉是言也。」（〈子路〉）

「如有王者，必世而後仁。」（〈子路〉）

「善人教民七年，亦可以即戎矣。」（〈子路〉）

子夏爲莒父宰時，問政。孔子就指出：「無欲速，無見小利。欲速則不達，見小利則大事不成。」（〈子路〉）爲政雖然不易，但賢人在位的話，短時間也可以有立竿見影之效。孔子自己曾很有把握地說：「苟有用我者，期月而已可也，三年有成。」（〈子路〉）可惜孔子終其一生未能實現他的政治理想。孔子非不爲也，勢不能也。子貢曾這樣讚美孔子說：「夫子之得家邦者，所謂立之斯立，道之斯行，綏之斯來，動之斯和。其生也榮，其死也哀，如之何其可及也！」（〈子張〉）

二、政治的基礎——道德

孔子以「正」來詮釋「政」，他說：

「政者，正也。子帥以正，孰敢不正。」（〈顏淵〉）

「其身正，不令而行；其身不正，雖令不從。」（〈子路〉）

「茍正其身矣，於從政乎何有？不能正其身，如正人何？」（〈子路〉）

有一次子路問說：「衞君待子而爲政，子將奚先？」孔子說：「必也正名乎！……名不正則言不順；言不順則事不成；事不成則禮樂不興；禮樂不興則刑罰不中；刑罰不中則民無所措手足。」（〈子路〉）「正名」的主張，更具體地說就是：「君君，臣臣，父父，子子。」（〈顏淵〉）如果能夠把握這基本要領，爲政又有何困難呢？孔子說：「無爲而治者，其舜也與！夫何爲哉？恭己正南面而已矣。」（〈衞靈公〉）

至於什麼才是「正」呢？這就是爲政者自己的「德」。孔子說：「爲政以德，譬如北辰，居其所而衆星拱之。」（〈爲政〉）孔子曾用「風」來比喻爲政者的影響力，所謂：「子欲善而民善矣。君子之德，風；小人之德，草。草上之風必偃。」（〈顏淵〉）季康子苦於竊盜猖獗，孔子對他說：「苟子之不欲，雖賞之不竊。」（〈顏淵〉）對「德治」的主張，孔子更具體地說：

「上好禮，則民莫敢不敬；上好義，則民莫敢不服；上好信，則民莫敢不用情。夫如是，則四方之民襁負其子而至矣。」（〈子路〉）

「道之以政，齊之以刑，民免而無恥；道之以德，齊之以禮，有恥且格。」（〈為政〉）

相對於「德」和「禮」來說，一般的「政」和「刑」祇是消極的政治作爲。孔子並非反對刑政，但禮樂比刑罰更具有優先性（「禮樂不興則刑罰不中」）。孔子說：「聽訟吾猶人也，必也使無訟乎。」（〈顏淵〉）政治的根本之道應在「德」不在「刑」「訟」。

經濟和國防，是立國的必要條件，孔子也很重視；但更重要的是君民基於道德的互信，使國家能在安和中生存發展。請見以下二章：

子貢問政。子曰：「足食，足兵，民信之矣。」子貢曰：「必不得已而去，於斯三者何先？」曰：「去兵。」子貢曰：「必不得已而去，於斯二者何先？」曰：「去食。自古皆有死，民無信不立。」（〈顏淵〉）

孔子曰：「……丘也聞有國有家者，不患寡而患不均，不患貧而患不安。蓋均無貧，和無寡，安無傾。故遠人不服，則脩文德以來之。既來之，則安之。」（〈季氏〉）

三、政治的原則

基於德治的理念，爲政者須以自身的道德修養，爲民表率。孔子說：「君子篤於親，則民興於仁。故舊不遺，則民不偷。」（〈泰伯〉）爲政者的重要道德，如以下各章所示：

㈠修德

子張問政。子曰：「居之無倦，行之以忠。」（〈顏淵〉）

子路問政。子曰：「先之，勞之。」請益。曰：「無倦。」（〈子路〉）

子曰：「居上不寬，為禮不敬，臨喪不哀，吾何以觀之哉？」（〈八佾〉）

仲弓問子桑伯子。子曰：「可也，簡。」仲弓曰：「居敬而行簡，以臨其民，不亦可乎。居簡而行簡，無乃大簡乎！」子曰：「雍之言然。」（〈雍也〉）

孔子常常讚美古聖先王的美德，希望後人能聞風效法，如：

「大哉堯之為君也。巍巍乎唯天為大，唯堯則之。蕩蕩乎民無能名焉，巍巍乎其有成功也，煥乎其有文章。」（〈泰伯〉）

「巍巍乎舜禹之有天下也，而不與焉。」（〈泰伯〉）

「禹，吾無間然矣。菲飲食而致孝乎鬼神，惡衣服而致美乎黻冕，卑宮室而盡力乎溝洫。禹，吾無間然矣。」（〈泰伯〉）

「三分天下有其二，以服事殷，周之德可謂至德也已矣。」（〈泰伯〉）

㈡禮治

道德的行爲表現，應符合禮。德治的具體化，就是禮治。依禮治國，是儒家「無爲而治」和道家「無爲而治」最大的分野。依禮爲政，是掌握治國、平天下的不二法門。孔子重視禮與治國、平天下的關係，可以下文見之：

或問禘之說。子曰：「不知也，知其說者之於天下也，其如示諸斯乎？」指其掌。（〈八佾〉）

禮的根本精神在「讓」，孔子說：「能以禮讓爲國乎，何有！不能以禮讓爲國，如禮何？」（〈里仁〉）又說：「泰伯其可謂至德也已矣，三以天下讓，民無得而稱焉。」（〈泰伯〉）

孔子這樣重視禮，有一次衞靈公問孔子戰陣之事。孔子就不假辭色地說：「俎豆之事，則嘗聞之矣；軍旅之事，未之學也。」（〈衞靈公〉）

對於爲政者的失禮，孔子莫不予以强烈的指責，如孔子批評季氏說：「八佾舞於庭，是可忍也，孰不可忍也。」（〈八佾〉）魯大夫三家僭禮，孔子譏刺說：「『相維辟公，天子穆穆。』奚取於三家之堂？」（〈八佾〉）他也指責管仲說：「邦君樹塞門，管仲亦樹塞門；邦君爲兩君之好，有反坫，管氏亦有反坫。管氏知禮，孰不知禮！」（〈八佾〉）

孔子曾爲顏回鈎勒出一幅理想的禮治藍圖：「行夏之時，乘殷之輅，服周之冕，樂則韶舞。放鄭聲，遠佞人。鄭聲淫，佞人殆。」（〈衞靈公〉）

孔子對過去的禮制之缺失，是抱著「既往不咎」的寬大態度。如哀公問「社」於宰我，宰我答說：「夏后氏以松，殷人以柏，周人以栗，曰：使民戰栗。」孔子聽到宰我之言，便說：「成事不說，遂事不諫，既往不咎。」（〈八佾〉）

㈢用賢

依禮施政，有賴賢人在位。仲弓爲季氏宰時，問政。孔子說：「先有司，赦小過，舉賢才。」仲弓問：「焉知賢才而舉之。」孔子答說：「舉爾所知，爾所不知，人其舍諸？」（〈子路〉）

賢人尤其必須是正直之人。哀公問：「何爲則民服？」孔子說：「舉直錯諸枉，則民服；舉枉錯諸直，則民不服。」（〈爲政〉）子夏在解釋孔子所謂「舉直錯諸枉，能使枉者直」時說：「富哉言乎！舜有天下，選於衆，舉皋陶，不仁者遠矣。湯有天下，選於衆，舉伊尹，不仁者遠矣。」（〈顏淵〉）

孔子曾舉出歷史及時事，來證明賢才的重要及其難得：

> 舜有臣五人而天下治。武王曰：「予有亂臣十人。」孔子曰：「才難，不其然乎！唐虞之際，於斯爲盛，有婦人焉，九人而已。」（〈泰伯〉）

子言衛靈公之無道也。康子曰：「夫如是，奚而不喪？」孔子曰：「仲叔圉治賓客，祝鮀治宗廟，王孫賈治軍旅。夫如是，奚其喪？」（〈憲問〉）

有仁德的人，在選賢才時，能做到公正無私，孔子說：「唯仁者，能好人，能惡人。」（〈里仁〉）考核人品之善惡時，必須謹愼而客觀，請見下文：

子貢問曰：「鄉人皆好之，何如？」子曰：「未可也，鄉人皆惡之，何如？」子曰：「未可也。不如鄉人之善者好之，其不善者惡之。」（〈子路〉）

㈣教民

爲實現幸福的生活，首先須解決民生問題，其次便要教育人民，請看以下三章：

子適衛，冉有僕。子曰：「庶矣哉！」冉有曰：「既庶矣，又何加焉？」曰：「富之。」曰：「既富矣，又何加焉？」曰：「教之。」（〈子路〉）

子曰：「以不教民戰，是謂棄之。」（〈子路〉）

季康子問：「使民敬忠以勸，如之何？」子曰：「臨之以莊則敬；孝慈則忠；舉善而教不能則勸。」（〈為政〉）

人民的教育，仍是以道德爲優先。要教人民敬、忠而勸善，爲政者須先能以身作則。道德教育的中心是「仁」。孔子說：「民之於仁也，甚於水火。水火吾見蹈而死者矣，未見蹈仁而死者也。」（〈衞靈公〉）而「仁」的教育，須由孝弟始，有子曰：「其爲人也孝弟，而好犯上者鮮矣。不好犯上，而好作亂者，未之有也。君子務本，本立而道生。孝弟也者，其爲仁之本與！」（〈學而〉）

㈤使民

有良好教育的人民，易於治理，關於「使民」之道，有以下諸文：

子曰：「上好禮，則民易使也。」（〈憲問〉）

子夏曰：「君子信而後勞其民，未信則以為厲己也。」（〈子張〉）

夫子曰：「君子學道則愛人；小人學道則易使。」（〈陽貨〉）

子曰：「道千乘之國，敬事而信，節用而愛人，使民以時。」（〈學而〉）

子曰：「民可使由之；不可使知之。」（〈泰伯〉）

上引末章，後人或以爲係儒家的愚民政策。其實，許多政治上的措施本來不易向人民一一說清楚。即使在現代也還是如此，何況古代教育未普及，要使人民都了解政治之事，實無可能。所以，孔子所謂的「不可使知之」，是指「不可能使知之」，不是「不可以使知之」。

有關從政使民之道，孔子又有「尊五美，屏四惡」之說：

子張問於孔子曰：「何如斯可以從政矣？」子曰：「尊五美，屏四惡，斯可以從政矣。」子張曰：「何謂五美？」子曰：「君子惠而不費，勞而不怨，欲而不貪，泰而不驕，威而不猛。」子張曰：「何謂惠而不費？」子曰：「因民之所利而利之，斯不亦惠而不費乎？擇可勞而勞之，又誰怨？欲仁而得仁，又焉貪？君子無衆寡、無小大、無敢慢，斯不亦泰而不驕乎？君子正其衣冠，尊其瞻視，儼然人望而畏之，斯不亦威而不猛乎？」子張曰：「何謂四惡？」子曰：「不教而殺謂之虐，不戒視成謂之暴，慢令致期謂之賊，猶之與人也，出納之吝，謂之有司。」（〈堯曰〉）

㈥薄稅

孔子說：「不患寡而患不均，不患貧而患不安。」（〈季氏〉）這和孔子「富之」「庶之」的主張似乎矛盾。就民生的立場說，富庶固然重要，但爲富庶而發動戰爭（指季氏伐顓臾之事），並非治國之道。何況季氏係爲自己的利益而動干戈，本與民生無關。「季氏富於周公，而求也爲聚斂而附益之。」孔子因而說：「非吾徒也，小子鳴鼓而攻之可也。」（〈先進〉）孔子反對重稅，主張藏富於民，以下有若與哀公的對話充分顯示這種主張：

哀公問於有若曰：「年饑，用不足，如之何？」有若對曰：「盍徹乎！」曰：「二，吾猶不足，如之何其徹也。」對曰：「百姓足，君孰與不足；百姓不足，君孰與足。」（〈顏淵〉）

四、君臣之道

定公曾問：「一言而可以興邦，有諸？」孔子回答說：「言不可以若是其幾也。人之言曰：『爲君難，爲臣不易。』如知爲君之難也，不幾乎一言而興邦乎？」（〈子路〉）由此可知，政治之興衰和爲君、爲臣之道，大有關係。在回答定公問君臣之道時，孔子說：「君使臣以禮，臣事君以忠。」（〈八佾〉）《論語》曾記載周公謂魯公爲君之道：「君子不施其親，不使大臣怨乎不以，故舊無大故，則不棄也，無求備於一人。」（〈微子〉）至於爲臣之道，《論語》也有很多提示：

子曰：「……所謂大臣者，以道事君，不可則止。今由與求也，可謂具臣矣。」（〈先進〉）

子路問事君。子曰：「勿欺也。而犯之。」（〈憲問〉）

子曰：「事君敬其事而後其食。」（〈衛靈公〉）

子曰：「鄙夫可與事君也與哉？其未得之也，患得之；既得之，患失之。苟患失之，無所不至矣。」（〈陽貨〉）

子游曰：「事君數，斯辱矣；朋友數，斯疏矣。」（〈里仁〉）

對於君上，孔子並未要求臣下一味盲從。臣子必須「以道事居」，有時甚至必須「犯之」，否則不如辭官求去。子路和冉求做不到這點，孔子指責他們爲「具臣」。這和漢儒所謂「君爲臣綱」的思想，是多麼不同啊！孔子說：「人之言曰：『予無樂乎爲君，唯其言而莫予違也。』如其善而莫之違也，不亦善乎！如不善而莫之違也，不幾乎一言而喪邦乎！」（〈子路〉）這正是警告那些要臣下無條件服從的國君，有亡國的危險呢！

五、出處的態度

就廣義來說，孔子不認爲只有做官才是爲政，他說：「書云孝乎！『惟孝友于兄弟。』施於有政，是亦爲政，奚其爲爲政。」（〈爲政〉）話雖如此，仕宦仍是爲政最有效的途徑。所以子夏說：「仕而優則學；學而優則仕。」（〈子張〉）子路也說：「不仕無義。長幼之節不可廢也；君

臣之義，如之何其廢之？欲絜其身而亂大倫。君子之仕也，行其義也。」（〈微子〉）

當然對於一個士人來說，最重要的是自己有無「行義」的才德，而不必擔心有無出仕的機會。孔子說：「不患無位，患所以立；不患莫己知，求爲可知也。」（〈里仁〉）對於出處、進退、貧富、貴賤，孔子一向豁然視之：

子謂顏淵曰：「用之則行，舍之則藏，惟我與爾有是夫。」（〈述而〉）

子曰：「篤信好學，守死善道。危邦不入，亂邦不居。天下有道則見，無道則隱。邦有道，貧且賤焉，恥也；邦無道，富且貴焉，恥也。」（〈泰伯〉）

子曰：「飯疏食，飲水，曲肱而枕之，樂亦在其中矣！不義而富且貴，於我如浮雲。」（〈述而〉）

孔子對於仕宦行義，態度是很積極的，隱者晨門曾挖苦他說：「是知其不可而爲之者與！」（〈憲問〉）孔子的確是以待價而沽的心情，來等待仕宦的機會，以下幾章可以生動地說明此點：

子貢曰：「有美玉於斯，韞櫝而藏諸？求善賈而沽諸？」子曰：「沽之哉！沽之哉！我待賈者也！」（〈子罕〉）

子曰：「觚不觚，觚哉！觚哉！」（〈雍也〉）

佛肸召，子欲往……子曰：「……不曰堅乎，磨而不磷；不曰白乎，涅而不緇。吾豈匏瓜也哉！焉能繫而不食！」（〈陽貨〉）

陽貨……謂孔子……曰：「懷其寶而迷其邦，可謂仁乎？」曰：「不可。」「好從事而亟失時，可謂知乎？」曰：「不可。」「日月逝矣，歲不我與。」孔子曰：「諾，吾將仕矣。」（〈陽貨〉）

孔子雖然有心問政，但他決非熱中富貴，如佛肸、陽貨、公山弗擾的召請，他最後都未接受。孔子對那些隱逸之士，十分尊敬。他說：

子曰：「賢者辟世，其次辟地，其次辟色，其次辟言。」（〈憲問〉）

子曰：「不降其志，不辱其身，伯夷、叔齊與！謂柳下惠、少連，降志辱身矣，言中倫，行中慮，其斯而已矣。謂虞仲、夷逸，隱居放言，身中清，廢中權。我則異於是，無可無不可。」（〈微子〉）

孔子所以不願選擇隱逸之路，有他自已的考慮。有一次，孔子在衞國擊磬，有人荷蕢經過，聽到磬聲便評論說：「莫己知也，斯已而已矣。『深則厲，淺則揭。』」孔子回應說：「果哉！末之難矣。」（〈憲問〉）對隱者長沮的批評，孔子悵然地說：「鳥獸不可與同羣，吾非斯人之徒與而誰與？天下有道，丘不與易也。」（〈微子〉）

因爲政治理想的遲遲不能實現，孔子有時也很感慨地說：「道不行，乘桴浮于海。從我者其由與？」（〈公冶長〉）「鳳鳥不至，河不出圖，吾已矣夫！」（〈子罕〉）

孔子雖然說：「不在其位，不謀其政。」（〈泰伯〉）可是，即使在魯國未受任用時，孔子對魯國甚至其他國家的政治，仍然非常關心。以下兩事可以充分說明此點：

冉子退朝。子曰：「何晏也？」對曰：「有政。」子曰：「其事也。如有政，雖不吾以，吾其與聞之。」（〈子路〉）

陳成子弒簡公。孔子沐浴而朝，告於哀公曰：「陳恆弒其君，請討之。」公曰：「告夫三子。」孔子曰：「以吾從大夫之後，不敢不告也。君曰：『告夫三子』者。」之三子告，不可。孔子曰：「以吾從大夫之後，不敢不告也。」（〈憲問〉）

孔子沒有一日忘懷政治，這眞正是儒者的風範！

論古今人物

孔子「述而不作，信而好古」，他對往聖先賢自然極為稱讚，以樹立向學的典範。另一方面，孔子對時人也偶有評論。不過或褒或貶，他的態度都相當謹慎，他說：「吾之於人也，誰毀誰譽？如有所譽者，其有所試矣。斯民也，三代之所以直道而行也。」（〈衛靈公〉）《論語》記孔子之論古今人物為數不少，以下分別說明。

一、贊往聖

孔子所讚美之古代聖人，包括：堯、舜、禹、泰伯，另外也提及武王、周公，而特別讚美文王，唯未直稱文王之號。這些大多見於〈泰伯篇〉：

「大哉堯之為君也。巍巍乎唯天為大，唯堯則之。蕩蕩乎民無能名焉，巍巍乎其有成

功也，煥乎其有文章。」（〈泰伯〉）

「無為而治者，其舜也與！夫何為哉！恭己正南面而已矣。」（〈衛靈公〉）

「巍巍乎舜禹之有天下也，而不與焉。」（〈泰伯〉）

「禹，吾無間然矣。菲飲食而致孝乎鬼神，惡衣服而致美乎黻冕，卑宮室而盡力乎溝洫。禹，吾無間然矣。」（〈泰伯〉）

「泰伯其可謂至德也已矣，三以天下讓，民無得而稱焉！」（〈泰伯〉）

舜有臣五人而天下治。武王曰：「予有亂臣十人。」孔子曰：「才難，不其然乎！唐虞之際，於斯為盛，有婦人焉，九人而已。三分天下有其二，以服事殷，周之德可謂至德也已矣。」（〈泰伯〉）

「如有周公之才之美，使驕且吝，其餘不足觀也已。」（〈泰伯〉）

堯的美德在法天，並且在事業、典章卓有成就。舜的美德在恭己、無為而治。禹則勤儉，重祭祀、興水利。泰伯、文王皆能禮讓而有至德。周公則才美不驕。孔子自己大約以文王、周公自期，他說：「文王既沒，文不在茲乎？」（〈子罕〉）然終不得意於當時，所以深嘆道：「甚矣吾衰也。久矣吾不復夢見周公。」（〈述而〉）

至於湯與伊尹，在《論語》中未見孔子言及，祇是子夏有一段話說：「舜有天下，選於衆，舉皋陶，不仁者遠矣。湯有天下，選於衆，舉伊尹，不仁者遠矣。」（〈顏淵〉）子夏之言必有所據，則孔子應曾論及湯與伊尹，後來孟子便常提及這兩人。

二、美前賢

孔子稱美的前賢，是商之賢人：微子、箕子、比干、伯夷、叔齊。孔子都以仁稱許之。請見引文：

微子去之，箕子為之奴，比干諫而死。孔子曰：「殷有三仁焉！」（〈微子〉）

子曰：「伯夷、叔齊，不念舊惡，怨是用希。」（〈公冶長〉）

子貢……入曰：「伯夷叔齊何人也？」曰：「古之賢人也。」曰：「怨乎？」曰：「求仁而得仁，又何怨！」（〈述而〉）

齊景公有馬千駟，死之日民無德而稱焉。伯夷、叔齊餓於首陽之下，民到于今稱之。其斯之謂與！（〈季氏〉）

子曰：「不降其志，不辱其身，伯夷、叔齊與！」（〈微子〉）

由孔子稱讚這些人物，也可以看出他是以德論人，而不以成敗論英雄，後來儒家評騭人物的高下，大多依此標準。宋儒特別推崇顏回，也是由此著眼。

三、論管仲

管仲比孔子早，是個頗具爭議性的人物，孔門弟子如子貢、子路都質疑他非仁者，可是孔子卻很稱讚他。請見以下的兩次對話：

子貢曰：「管仲非仁者與？桓公殺公子糾，不能死，又相之。」子曰：「管仲相桓公，霸諸侯，一匡天下，民到於今受其賜，微管仲，吾其被髮左衽矣！豈若匹夫匹婦之為諒也，自經於溝瀆，而莫之知也。」（〈憲問〉）

子路曰：「桓公殺公子糾，召忽死之，管仲不死。曰：未仁乎？」子曰：「桓公九合諸侯，不以兵車，管仲之力也。如其仁！如其仁！」（〈憲問〉）

孔子欣賞管仲能不拘小信，輔佐桓公一匡天下，有功於人民，所以自功業上稱之。但「如其仁」一語乃有所保留，並非眞許管仲爲仁者。就功業論，管仲可謂仁恩被天下，所以孔子說：「這樣也是他的仁呢！」至於管仲的人格，孔子並不贊許，以下兩章可以爲證：

子曰：「管仲之器小哉！」或曰：「管仲儉乎？」曰：「管氏有三歸，官事不攝，焉得儉？」「然則管仲知禮乎？」曰：「邦君樹塞門，管仲亦樹塞門；邦君為兩君之好，有反坫，管氏亦有反坫。管氏知禮，孰不知禮！」（〈八佾〉）

問管仲，曰：「人也。奪伯氏駢邑三百，飯疏食，沒齒無怨言。」（〈憲問〉）

在孔子心目中，管仲器小，不能儉、不知禮，充其量祇是「人也」。有人問管仲如何，孔子不但不稱許管仲，反而讚美被管仲奪邑的伯氏。至於管仲所輔佐的齊桓公，孔子倒有一句讚美，所謂：「晉文公譎而不正；齊桓公正而不譎。」（〈憲問〉）

四、稱時賢

孔子稱許的時賢，有柳下惠、少連、虞仲、夷逸等隱逸之士，但自己卻不願取法隱逸。請見下文：

柳下惠為士師，三黜。人曰：「子未可以去乎？」曰：「直道而事人，焉往而不三黜？枉道而事人，何必去父母之邦？」（〈微子〉）

子曰：「……謂柳下惠、少連，降志辱身矣，言中倫，行中慮，其斯而已矣。謂虞

仲、夷逸，隱居放言，身中清，廢中權。我則異於是，無可無不可。」（〈微子〉）

類似柳下惠「直道而事人」的，另有左丘明、史魚兩人，也在褒揚之列：

子曰：「巧言、令色、足恭，左丘明恥之，丘亦恥之。匿怨而友其人，左丘明恥之，丘亦恥之。」（〈公治長〉）

子曰：「直哉！史魚。邦有道如矢，邦無道如矢。君子哉！遽伯玉。邦有道則仕；邦無道則可卷而懷之。」（〈衛靈公〉）

遽伯玉的出處之道，正符孔子的理想，所以得孔子之讚許。同樣的操守，也見之於寧武子，因此孔子也稱許道：「寧武子，邦有道則知；邦無道則愚。其知可及也，其愚不可及也。」（〈公治長〉）

其他經孔子稱述的人物，還有子產、晏嬰、老彭、孔文子、公叔文子、孟之反、衞公子荊等人，都是因爲各種美德而獲孔子的讚賞：

子謂子產：「有君子之道四焉：其行己也恭，其事上也敬，其養民也惠，其使民也義。」（〈公冶長〉）

或問子產，子曰：「惠人也。」（〈憲問〉）

子曰：「晏平仲善與人交，久而敬之。」（〈公冶長〉）

子曰：「述而不作，信而好古，竊比於我老彭。」（〈述而〉）

子貢問曰：「孔文子何以謂之文也？」子曰：「敏而好學，不恥下問，是以謂之文也。」（〈公冶長〉）

公叔文子之臣大夫僎，與文子同升諸公。子聞之曰：「可以為文矣。」（〈憲問〉）

子曰：「孟之反不伐。奔而殿，將入門，策其馬，曰：『非敢後也，馬不進也。』」（〈雍也〉）

子謂衛公子荊善居室：始有，曰：「苟合矣。」少有，曰：「苟完矣。」富有，曰：「苟美矣。」（〈子路〉）

五、評時人

孔子比較少評論國君，除了上文提及孔子褒齊桓公、貶晋文公外，《論語》有一次記：「子言衞靈公之無道也。」（〈憲問〉）對於魯國的國君，則基於君臣之禮，不免爲君有所諱言，如：

陳司敗問：「昭公知禮乎？」孔子曰：「知禮。」孔子退。揖巫馬期而進之曰：「吾聞君子不黨，君子亦黨乎？君取於吳為同姓，謂之吳孟子，君而知禮，孰不知禮！」巫馬期以告。子曰：「丘也幸，苟有過，人必知之。」（〈述而〉）

魯昭公的失禮，孔子不應不知，但以孔子的身分，不能直言。況且孔子曾說：「成事不說，遂事不諫，既往不咎。」（〈八佾〉）孔子或許也基於這樣的態度，不忍苛責君上吧！但對於大夫的失禮，孔子則必予强烈的指責，如：

孔子謂季氏：「八佾舞於庭，是可忍也，孰不可忍也。」（〈八佾〉）

三家者以雍徹。子曰：「『相維辟公，天子穆穆。』奚取於三家之堂？」（〈八佾〉）

子曰：「臧文仲居蔡，山節藻梲，何如其知也！」（〈公冶長〉）

子曰：「臧文仲其竊位者與？知柳下惠賢，而不與立也。」（〈衛靈公〉）

子曰：「臧武仲以防，求為後於魯，雖曰不要君，吾不信也。」（〈憲問〉）

孔子有時藉著指正時人德行上的瑕疵，來勸勉弟子，如以下二例：

季文子三思而後行。子聞之曰：「再，斯可矣。」（〈公冶長〉）

子曰：「孰謂微生高直？或乞醯焉，乞諸其鄰而與之。」（〈公冶長〉）

而孔子評孟公綽，係有褒有貶：「孟公綽爲趙魏老則優，不可以爲滕薛大夫。」（〈憲問〉）當有人問起子西，孔子則不予正面評論，祇是說：「彼哉！彼哉！」（〈憲問〉）大約不方便評論吧！至於對自己的老朋友，孔子卻是不假辭色：

原壤夷俟。子曰：「幼而不孫弟，長而無述焉，老而不死，是為賊。」以杖叩其脛。（〈憲問〉）

孔子對原壤大概是愛之深、責之切呢！孔子對自己的學生，也有很多品評，有關愛之言，也有急切之語，這都是孔子至性眞情的流露，將在下章述之。

孔門弟子

一、前言

《史記．孔子世家》說孔子的學生有三千人，身通六藝的有七十二人。在孔門弟子中造詣最深的有十幾人。孔子即使周遊列國，也念念不忘留在魯國的弟子，《論語》記載：子在陳曰：「歸與！歸與！吾黨之小子狂簡，斐然成章，不知所以裁之！」（〈公冶長〉）當然，那些跟隨孔子周遊列國同生死、共患難的十大弟子，更是孔門之翹楚，孔子有一次想念他們說：「從我於陳、蔡者，皆不及門也。」而這十位弟子，可以依學行之所長，分成四類：「德行：顏淵、閔子騫、冉伯牛、仲弓；言語：宰我、子貢；政事：冉有、季路；文學：子游、子夏。」（〈先進〉）

本文特別談談這十位弟子中子路、顏回、子貢三人，以及孔子晚年所收的重要弟子曾子。這四人名氣最大，有關的記載也較多，他們代表了孔門弟子的四種典型。

有一次，楚昭王想把七百里的土地封給孔子。楚國的令尹子西卻阻止說：「大王出使到各國的使臣，有比得上子貢的嗎？」昭王說：「沒有。」「大王身邊輔佐的大臣，有比得上顏回的嗎？」昭王說：「沒有。」「大王身邊的將帥，有比得上子路的嗎？」昭王說：「沒有。」「大王的行政官員，有比得上宰我的嗎？」昭王也說：「沒有。」於是子西說：「當初周文王、武王只有百里的小地方，終於統一天下。現在孔丘如果得到七百里土地，又有這些賢能的弟子協助，對楚國來說，並非好事。」因此，楚昭王就打消了給孔子封地的念頭。（〈孔子世家〉）由此可知，子路、顏回、子貢等弟子，在當時的國際間聲名遠播。

要了解子路、顏回、子貢三人志趣和造詣的不同，可以再舉一件事來說。

當初孔子在陳、蔡兩國時，楚國就派人來聘請孔子。陳、蔡兩國的大夫怕孔子去幫助楚國，對陳、蔡不利，就派兵把孔子一行人圍困在曠野中。不久，糧食吃光了，弟子們都病了。孔子仍如往常地講學、彈琴、唱歌。子路很氣憤地見孔子說：「君子亦有窮乎？」子曰：「君子固窮，小人窮斯濫矣。」（〈衞靈公〉）

孔子知道弟子們很懊惱，於是找弟子來個別輔導。首先對子路說：「詩上說：『匪兕匪虎，率彼曠野。』（不是犀牛，也不是老虎，卻在曠野中奔走。）難道我的理想有什麼不對嗎？為什麼落到這個地步？」子路回答說：「恐怕是我們的仁德不夠吧！所以人家不信任我們；恐怕是我們的智慧不夠吧！所以人家不放我們通行。」子路似乎對孔子的信心不足。於是孔子說：「有這個道理嗎？如果有仁德的人一定能使人信任，伯夷、叔齊爲什麼餓死在首陽山？如果有智慧的人一定能通行無阻，比干爲什麼被紂王剖開心肝？」

子路出去後，子貢接著進來。孔子也問他同樣的問題。子貢回答說：「老師的理想太偉大了，天下的人無法接受，老師爲什麼不稍微降低標準，遷就一般人呢？」子貢雖然對孔子無所懷疑，卻要孔子把理想打個折扣，來遷就現實。孔子於是說：「好農夫雖然會耕田，卻不一定有收穫；好工匠雖然手藝精巧，卻不一定有人人滿意的作品。君子修道有成就，卻不一定被人接受。現在你不好好去修道，反而想求人接受，你的志向並不遠大啊！」

子貢出去後，顏回進來，孔子又問同樣的問題。顏回回答說：「老師的理想太偉大了，天下人無法接受。不過，老師推行自己的理想，天下人不接受又有什麼關係？人家不接受，才見得老師是不苟且求人的君子。一個人不修道，才是可恥的；至於修道有成，卻不被信用，那是統治者的羞恥啊！」孔子聽了欣慰地笑了：「有這回事嗎？顏家的子弟啊！如果你有很多財富，我倒願意幫你管理呢！」（〈孔子世家〉）

從子路、子貢、顏回三人的回答，可以看出他們志趣、學養的不同。三人之中，顏回最能了解孔子，孔子只求盡其在我，決不改變理想來遷就現實。他眞是孔子的知音。

現在我們分別來談談子路、顏回、子貢、曾子各人的志趣和風格。

一、子路

在四位弟子中，子路最年長，所以先談子路。

子路祇比孔子小九歲。他跟隨孔子最久，大約有四十年。在孔子弟子中，除了顏回的父親顏路外，數子路最年長。《論語》五百多章中，提到子路的有四十一章，子路出現的次數最多，他的事跡也比較明確。孔子大約在三十歲左右有了第一批弟子，這其中包括顏回的父親、曾子的父親和子路等人。子路和孔子最沒有師生的距離，這和他的個性有關。

子路性情粗野，好勇鬥狠。子路的勇表現在很多方面。首先，他個性率直，不假辭色，有什麼就說什麼，從不拐彎抹角。孔子批評他「野」，《論語》評論他「喭」（粗俗）（〈先進〉）。以下舉幾件事來說明。

當時魯國政治很亂。魯定公被最有勢力的貴族季桓子脅迫；季桓子又被自己的家臣陽虎脅迫。眞是孔子所謂的「君不君，臣不臣」。後來陽虎失敗逃走了，季桓子另一個家臣公山不狃又起來反叛季桓子，公山不狃並請孔子去協助。這時孔子已經五十歲了，懷才不遇，不免躍躍欲試。子路馬上不高興地說：「沒有地方去也就罷了，何必去公山那裡呢！」後來孔子果然沒去。（〈陽貨〉）

不久，孔子得到魯定公的起用，做到司寇，魯國大治，卻引起齊國的緊張，怕魯國強大起來。齊國於是派了一團女樂來，季桓子、魯定公因而怠忽政事，子路就對孔子說：「老師可以走了。」孔子觀察了一天，見大勢已去，終於出走。（〈孔子世家〉）

孔子到了衛國，先住子路的大舅顏濁鄒家。當時衛靈公的夫子南子，很想見孔子，孔子推辭不掉，祇好去見了一面。子路很不高興，逼得孔子只好發誓說：「如果我的行爲有不合禮節的話，上天也要厭棄我啊！上天也要厭棄我啊！」（〈雍也〉）

後來晉國發生了內戰，趙簡子要攻打另外兩家貴族，趙簡子的家臣佛肸趁機起來叛變。佛肸派人來請孔子，孔子又想去。子路說：「昔者由也聞諸夫子：『親於其身爲不善者，君子不入也。』佛肸以中牟畔，子之往也，如之何？」孔子到底沒有去幫助佛肸。（〈陽貨〉）

子路隨著孔子離開衛國後，輾轉於陳、蔡之間，楚國去不成，只好又回頭了。在回衛國的路上，遇到一些隱者。有一次遇到長沮、桀溺，子路被兩人奚落了一陣。另有一次遇到荷蓧丈人，子路又碰了一鼻子灰。不過因爲子路彬彬有禮，丈人還準備了菜飯，招待他住了一夜，頗爲禮遇。（〈微子〉）

由這兩次與隱者的遭遇，可以看出子路急躁的脾氣，收斂不少，待人接物，進退有度。這是受了孔子的薰陶呢！

孔子一行人回到衛國，衛出公要請孔子參政。子路說：「衛君待子而爲政，子將奚先？」子曰：「必也正名乎！」子路曰：「有是哉？子之迂也，奚其正！」子曰：「野哉，由也！君子於其所不知，蓋闕如也。」（〈子路〉）子路對孔子還是那麼直言無諱。

回到魯國，子路和冉求出任季氏的家臣，卻不去勸阻季氏伐顓臾。所以有一次季子然問：「仲由、冉求，可謂大臣與？」子曰：「吾以子為異之問，曾由與求之問。所謂大臣者，以道事君，不可則止。今由與求也，可謂具臣矣。」曰：「然則從之者與？」子曰：「弒父與君，亦不從也。」（〈先進〉）子路曾問孔子事君之道，孔子說：「勿欺也，而犯之。」（〈憲問〉）孔子正是針對子路的毛病糾正他。

子路雖然粗野，孔子對子路卻是很疼愛。有一位公伯寮對季孫氏說子路的壞話，孔子就為子路說話：「道之將行也與，命也；道之將廢也與，命也。公伯寮其如命何？」（〈憲問〉）

子路後來被請去作衛國蒲邑的大夫，臨走前來向孔子辭行。孔子親切地叮嚀他：「蒲多壯士，又難治。然吾語汝：恭以敬，可以執勇；寬以正，可以比衆；恭正以靜，可以報上。」（〈仲尼弟子列傳〉）孔子的臨別贈言，也是針對子路勇而不恭的性格而發。

孔子曾評論子路性格剛强，所謂「行行如也」，並說：「若由也，不得其死然。」（〈先進〉）

子路後來在衛國孔悝底下做官。孔悝與蒯聵一起作亂，子路得到消息，立刻冒險去阻止。在格鬥中，子路的帽帶被打斷了。子路說：「君子死的時候，帽子不能掉了。」於是把帽帶結好，從容就義。（〈仲尼弟子列傳〉）子路臨死不苟，盡禮而終，孔子的教化是這樣深刻地影響他呀！

子路一生的表現可以說就是「勇」。行事勇猛是子路的優點，也是他的缺點。孔子常常針對子路的這種缺點，予以教誨。

子路曾問：「君子尚勇乎？」子曰：「君子義以爲上。君子有勇而無義爲亂；小人有勇而無義爲盜。」（〈陽貨〉）有一次子路又問「强」，孔子反問說：「你問的是南方的强，還是北方的强？或是你自己的强？」然後告訴他什麼是君子的强。（《中庸》）

孔子有一次讚美顏回，子路不服氣地問：「子行三軍，則誰與？」子曰：「暴虎馮河，死而無悔者，吾不與也。必也臨事而懼，好謀而成者也。」（〈述而〉）

子路問孔子：「聞斯行諸？」子曰：「有父兄在，如之何其聞斯行之？」又說：「由也兼人，故退之。」（〈先進〉）

剛猛的子路，連彈琴瑟也有北方殺伐之聲。孔子說：「由之瑟奚爲於丘之門？」門人不敬子路。孔子又說：「由也升堂矣，未入室也。」（〈先進〉）

子路勇於行動，不免瞧不起做學問，曾說：「有民人焉，有社稷焉，何必讀書，然後爲學！」孔子糾正他：「是故惡乎佞者。」（〈先進〉）子路好勇，卻不好學，孔子勸戒他：「好勇不好學，其蔽也亂。」（〈陽貨〉）

孔子曾感慨地說：「道不行，乘桴浮于海，從我者其由與？」子路聽了很高興。孔子說：

「由也，好勇過我，無所取材！」（〈公治長〉）

不過，孔子對子路也有正面的評價，如說：「由也果，於從政乎何有？」（〈雍也〉）「片言可以折獄者，其由也與！」（〈顏淵〉）「由也，千乘之國，可使治其賦也，不知其仁也。」（〈公治長〉）也因爲子路的强悍，孔子也說：「自吾得由，惡言不聞於耳。」（〈仲尼弟子列傳〉）

子路談到自己的才能，則說：「千乘之國，攝乎大國之間，加之以軍師旅，因之以饑饉，由也爲之，比及三年，可使有勇，且知方也。」（〈先進〉）

子路的「勇」也表現在勇於實踐上。《論語》記云：「子路有聞，未之能行，唯恐有聞。」（〈公治長〉）孟子曾說：「子路，人告之以有過則喜。」（〈公孫丑上〉）《論語》又讚美說：「子路無宿諾。」（〈顏淵〉）

子路大概常常强不知以爲知，孔子勸他：「由，誨女知之乎！知之爲知之，不知爲不知，是知也。」（〈爲政〉）

子路似乎有些迷信。孔子生病時，子路就勸孔子對神明祈禱。（〈述而〉）他還問孔子如何事奉鬼神，又問死亡之事。（〈先進〉）

子路很敬愛孔子。孔子病重，子路就叫門人假裝做孔子的家臣，來服侍孔子，討孔子歡心。孔子發現後，就指責說：「久矣哉！由之行詐也，無臣而爲有臣。吾誰欺？欺天乎？」（〈子

罕〉）

子路對朋友很講義氣，他的志向是：「願車、馬、衣裘，與朋友共，敝之而無憾。」（〈公冶長〉）孔子也讚美他：「衣敝縕袍，與衣狐貉者立，而不恥者，其由也與！『不忮不求，何用不臧！』」子路終身誦之。子曰：「是道也，何足以臧？」（〈子罕〉）孔子對弟子總是這樣循循善誘。

三、顏回

對學生最好的讚美，莫過於「好學」，現在就來談談好學的顏回。

根據《史記》，顏回比孔子小三十歲。顏回早年的事跡不可考，只知道他曾隨孔子周遊列國。孔子離開衛國經過匡時，匡人因孔子長得像陽虎，把孔子一行人圍困了五天。顏回落後，過一陣子才趕到。孔子對顏回說：「吾以女為死矣！」曰：「子在，回何敢死？」（〈先進〉）顏回在危急中，不慌不忙，還不忘幽默一下，頗有將相之才。而孔顏師生間關懷之情，也流露無遺。這時顏回大約才十八歲。

顏回為人的最大特色，是好學，他是孔門的超級模範生。顏回死後，魯哀公曾問孔子：「弟子孰為好學？」孔子對曰：「有顏回者好學，不遷怒，不貳過。不幸短命死矣！今也則亡，未聞好學者也。」（〈雍也〉）子路只能「聞過則喜」，比顏回的「不貳過」要遜一籌。《論語》中有十九章提到顏回，其中顏回自己發表言論的，只有一章。在這一章，顏回讚嘆孔子之道，並說明自己求學的情況。顏回喟然嘆道：「仰之彌高，鑽之彌堅，瞻之在前，忽焉在後！夫子循循然善誘人。博我以文，約我以禮。欲罷不能。既竭吾才，如有所立，卓爾。雖欲從之，末由也已！」（〈子罕〉）

顏回這段話，是學生對老師的最高讚美。這段話中，「循循然善誘人」是稱讚孔子教學方法高明，教學精神可佩。「博我以文，約我以禮」則指出孔子教學內容，知行並重。「欲罷不能。既竭吾才，如有所立，卓爾」是讚美孔子的教學效果不同凡響。而孔子對顏回也是讚美不絕，從未批評。模範老師遇上模範學生，眞是曠古的奇遇！

顏回家境貧寒，卻絲毫不影響他好學求道的志向。孔子說：「賢哉！回也。一簞食，一瓢飲，在陋巷，人不堪其憂，回也不改其樂。賢哉！回也。」（〈雍也〉）孔子喜歡好學的顏回，正因爲孔子自己也是這樣地好學。孔子對顏回好學的稱讚，還有以下幾章：

「語之而不惰者，其回也與！」（〈子罕〉）

「惜乎！吾見其進也，未見其止也！」（〈子罕〉）

「回之為人也，擇乎中庸，得一善則拳拳服膺，而弗失之矣。」(《中庸》)

「吾與回言終日，不違如愚。退而省其私，亦足以發。回也不愚。」(〈為政〉)

「回也，非助我者也。於吾言無所不說。」(〈先進〉)

其實，顏回絕頂聰明，孔子的教誨一聽就懂，所以也就沒有任何疑問。顏回並非對孔子毫無幫助。孔子曾說：「自吾有回，門人益親。」(〈仲尼弟子列傳〉)顏回的好學，頗能引導其他的學生也欣然向學。

子貢喜歡說別人的長短。有一次，孔子就叫子貢自己和顏回比比看那一個高明。子貢卻萬分謙虛地說：「賜也何敢望回。回也聞一以知十，賜也聞一以知二。」孔子說：「吾與女弗如也。」(〈公冶長〉)

聰明又好學的顏回，到底在學習上有何成就？孔子教學的最高目標是「仁」，而顏回是弟子中「仁」學得最好的。孔子說：「回也，其心三月不違仁；其餘，則日月至焉而已矣。」(〈雍也〉)顏回連「心」都不違背仁，更何況是行爲了。

仁的境界很高，也很抽象。孔子有一次稱許顏回：「用之則行，舍之則藏。唯我與爾有是夫！」（〈述而〉）這句話其實就是對仁人君子的具體描述。顏回跟孔子學了十幾年的最後造詣，正是這樣的人格涵養。

孔子又說：「回也其庶乎，屢空。」（〈先進〉）「庶」是差不多，也就是說孔子在顏回的成績單上，差不多給了滿分。「屢空」，一般解釋是「常常米缸是空的，沒飯吃。」這不像是對學生的評語。程伊川解釋得好，他說顏回能「虛中受道」。「虛中」就是「虛心」。「屢空」指顏回總是虛心學習，永不滿足。這就比較像對學生的評語了。

曾子曾經給這位學長一段很好的評語：「以能問於不能，以多問於寡，有若無，實若虛，犯而不校。昔者吾友，嘗從事於斯矣。」（〈泰伯〉）別人看顏回是能、多、有、實。顏回看自己是不能、寡、無、虛。他是眞的虛心。他的心量像宇宙太虛，所以能好學不倦，以成其大。顏回這樣地虛心好學，當然是不二過了。他的「犯而不校」不只是不遷怒，根本是無怒可遷了。

顏回生平的志願是「願無伐善，無施勞」。他非常謙虛，希望做到不誇耀自己的優點，不誇張自己的功勞。「無施勞」還有一種解釋，即不把勞苦施予他人身上。所以「無伐善」是修己的工夫；「無施勞」是「安人」的行爲。顏回不祇重視自我修養品德，更積極地懷抱「安天下」的志向。如果有人能用他，他是「用之則行」的。孟子記載顏回有一段話：「舜何人也？予何人也？有爲者，亦若是。」（〈滕文公上〉）顏回要取法舜，他是很想有一番作爲呢！所以孟子稱讚

「禹、稷、顏回同道」，他們三人是「易地則皆然」（〈離婁下〉）。

《論語》中記載顏回問孔子祇有兩次，一次問仁，一次問爲邦。問爲邦時，孔子教顏回：「行夏之時，乘殷之輅，服周之冕，樂則韶舞。」（〈衞靈公〉）孔子教他用夏、商、周三代的禮，用舜的韶樂。這是拿輔佐天子的事來勉勵顏回，可見孔子對顏回的期望很高。不像子路問政，孔子只回答：「先之，勞之。」再問，則回答：「無倦。」（〈子路〉）

顏回二十九歲時，頭髮全白了，這恐怕不祇是營養不良。孔子說顏回：「人不堪其憂。」（〈雍也〉）弟子中貧窮的也不少，未必有不堪之憂。顏回之憂恐怕來自家人的精神壓力。以顏回的大才，跟孔子十幾年，一定有機會作個官，拿俸祿養家。可是顏回卻不肯，寧願在陋巷耕讀講學。他的父母妻子大約是不能諒解他的，顏回的不堪之憂或許在此吧！

顏回隨孔子回到魯國，過兩年就死了。顏回的死，在孔門是件大事，《論語》有四章提到此事。他死時孔子哭之慟，說：「噫！天喪予！天喪予！」（〈先進〉）旁邊的人說：「子慟矣！」孔子說：「非夫人之爲慟而誰爲！」（〈先進〉）孔子的兒子伯魚死時，他或許也沒有這麼難過吧！

顏回三十二歲就死了，不然以他的好學，如果得享高壽，難保不是第二個孔子。孔子在七十歲時，失去了這樣一位知音，一位傳人，如何不難過？

顏回的父親似乎頗有虛榮心，他家裡貧窮，卻要厚葬顏回。他要孔子賣車子，給顏回買棺椁，孔子沒有答應，孔子說：「才不才，亦各言其子也。鯉也死，有棺而無椁。吾不徒行以爲之椁。以吾從大夫之後，不可徒行也。」（〈先進〉）孔子雖然愛顏回，卻不願意以違禮的方式去葬顏回。

同學都愛顏回，要厚葬他。孔子說不可以，可是學生們還是厚葬了。孔子感嘆說：「回也視予猶父也，予不得視猶子也。非我也，夫二三子也。」（〈先進〉）孔顏師生之間如父子的深情，在古今中外實不多見呢！

四、子貢

有一次孔子說：「莫我知也夫！」子貢曰：「何爲其莫知子也？」子曰：「不怨天，不尤人，下學而上達，知我者其天乎！」（〈憲問〉）由這段話可以看出，子貢原以爲自己了解孔子，其實並不眞的知道孔子。孔子在此深嘆，除了天以外，沒有人能了解他。這時也許顏回已死，所以孔子有此感慨。也只有「犯而不校」「不遷怒」且好學不厭的顏回，可以了解孔子「不怨」「不尤」「下學而上達」的精神。

不論就先天的才智和後天的好學來說，子貢都不如顏回。但子貢口才很好，孔子稱他「侃侃如也」（〈先進〉）。《論語》中提及子貢的篇章也不少，接近四十章，僅次於子路。

子貢有一次說：「夫子之文章，可得而聞也；夫子之言性與天道，不可得而聞也。」（〈公冶長〉）其實，「性與天道」孔子雖不說，並非不可得知。顏回讚美孔子之道「仰之彌高，鑽之彌堅，瞻之在前，忽焉在後！」（〈子罕〉）孔子教弟子的決不僅是「文章」而已，一定兼含文章所要顯現的「道」，祗是子貢還體會不到罷了。顏回對孔子之道，即彷彿見之。

子貢似乎比較重視外在的文章。他曾問孔子：「孔文子何以謂之文也？」子曰：「敏而好學，不恥下問，是以謂之文也。」（〈公冶長〉）「敏而好學，不恥下問」正是顏回的長處，子貢還做不到呢！所以孔子藉機會指點他：「文」是由「好學」來的。

孔子知道子貢的缺點，有一次又教導他說：「賜也，女以予為多學而識之者與？」對曰：「然，非與？」曰：「非也！予一以貫之。」（〈衛靈公〉）能將所學「一以貫之」的，必是「道」，而非「文章」。

子貢為學，落在可以言說的知識上。孔子曾說：「予欲無言。」子貢曰：「子如不言，則小子何述焉？」子曰：「天何言哉？四時行焉，百物生焉，天何言哉？」（〈陽貨〉）

子貢在孔門四科中屬「言語」一科。「言語」是他的優點，卻也是他的缺點。子貢問「君子」，孔子說：「先行其言，而後從之。」（〈為政〉）

子貢曾問：「有一言而可以終身行之者乎？」子曰：「其『恕』乎！己所不欲，勿施於人。」（〈衛靈公〉）子貢聽了孔子的教誨，有一次便說：「我不欲人之加諸我也，吾亦欲無加諸人。」

孔子就馬上告誡他：「賜也，非爾所及也。」（〈公冶長〉）子貢不能「先行其言」，卻是行不及所言了。

再看另一段對話。子貢曰：「如有博施於民，而能濟衆，何如？可謂仁乎？」子曰：「何事於仁？必也聖乎？堯、舜其猶病諸！夫仁者，己欲立而立人，己欲達而達人。能近取譬，可謂仁之方也已。」（〈雍也〉）在此孔子勸子貢不要好高騖遠，必須能近取譬，篤實地修養。

太宰曾問子貢曰：「夫子聖者與？何其多能也？」子貢曰：「固天縱之將聖，又多能也。」子聞之曰：「大宰知我乎？吾少也賤，故多能鄙事。君子多乎哉？不多也。」（〈子罕〉）子貢「固天縱之將聖」之語，並無實質的意義。孔子大概不滿意子貢對太宰的解釋，於是指出君子不以多能爲尚。子貢不了解孔子，由此可見。孔子之語也是要說給子貢聽的。

子貢又好論人長短，《論語》記載子貢「方人」，孔子說：「賜也賢乎哉？夫我則不暇。」（〈憲問〉）

子貢很重視他人的好惡。有一次問曰：「鄉人皆好之，何如？」子曰：「未可也。」「鄉人皆惡之，何如？」子曰：「未可也。不如鄉人之善者好之，其不善者惡之。」（〈子路〉）

子貢曾問：「君子亦有惡乎？」子曰：「有惡。惡稱人之惡者，惡居下流而訕上者，惡勇而無禮者，惡果敢而窒者。」（〈陽貨〉）這段話也是對子貢的針砭。

子貢在意別人對自己的看法，有一例證。子貢曾問孔子：「賜也何如？」子曰：「女器也。」曰：「何器也？」曰：「瑚璉也。」（〈公冶長〉）孔子既說中子貢的短處，也說出他的長處。人能成爲一種有用的器，固然不錯；但只能成一種器，祇有一種用途，也不夠好。所以孔子說：「君子不器。」（〈爲政〉）

重視朋友，也是子貢的長處。他問「友」，子曰：「忠告而善道之，不可則止，無自辱焉。」（〈顏淵〉）孔子在回答子貢問「爲仁」時，也勸他：「居是邦也，事其大夫之賢者，友其士之仁者。」（〈衞靈公〉）或許子貢交友過於浮濫，孔子特別告誡他。

子貢除了擅長「言語」外，也長於政事，他是事功型的人物。孔子說：「賜也達，於從政乎何有！」（〈雍也〉）子貢曾勸孔子做官，他說：「有美玉於斯，韞匵而藏諸？求善賈而沽諸？」子曰：「沽之哉！沽之哉！我待賈者也！」（〈子罕〉）

子貢在商業上的才幹，於孔門弟子中更是無出其右者，孔子說：「賜不受命，而貨殖焉，億則屢中。」（〈先進〉）子貢善於賤買貴賣，隨時令調節供需，轉手獲利。（〈仲尼弟子列傳〉）如果生在今天，子貢一定是股票大亨呢！

子貢的外交手腕，更是一流的。

孔子一行人被困於陳蔡之間，後來還是由子貢到楚國去，使楚昭王派兵來接孔子，才免去一場災禍。（〈孔子世家〉）孔子周遊列國十幾年，如果只有子路、顏回隨行，那就更慘了。有子貢隨侍在側，解決了不少的難題。

過了兩年，吳國與魯國會盟，吳國要魯國送百牢的獻禮，吳太宰嚭召見季康子，季康子請子貢出面，才免除這些獻禮。（〈孔子世家〉）

有一回，齊國的田常要來打魯國。孔子對弟子說：「現在祖國有難了，你們爲什麼不挺身而出呢？」子路應聲欲往，孔子不肯；子張、子石也要去，孔子還是不許；最後子貢要出面，孔子便答應了。到了齊國，子貢說服田常，果然不打魯國了。隨後，在子貢的穿梭外交之下，保全了魯國，擾亂了齊國，最後導致越國滅吳國而稱霸，晉國也强大起來。十年之間，五個國家都產生了重大的變化。子貢可以說是縱橫家的鼻祖呢！（〈仲尼弟子列傳〉）

孔子六十九歲時，兒子伯魚死了。第二年顏回死了，再兩年子路也死了。不久，孔子病重，拄著手杖在門口徘徊，一看到子貢，就說：「賜啊！你怎麼來得這麼晚呢？」然後悲歌：「太山壞乎！梁柱摧乎！哲人萎乎！」過了七天，孔子就去世了。（〈孔子世家〉）這時子貢四十三歲。

孔子死後，魯哀公來哀悼孔子。子貢批評說：「人活的時候不能用他，死了才來悼念他，這是不合禮的。」（〈孔子世家〉）

弟子們爲孔子守喪三年。三年之後，弟子們來向子貢拜別，大家又哭成一團。有些弟子又留下來。子貢在墓旁蓋了茅屋住下，前後守喪六年才離開。弟子和其他魯國人相率到墓旁定居的有一百多家。當地就名爲孔里。（〈孔子世家〉）

孔子死後，有人毀謗孔子，認爲子貢比孔子賢能，子貢極力爲孔子辯護。（〈子張〉）孔子能名揚天下，傳於後世，子貢與有功焉。

子貢擁有千金家財，在七十子中最爲富裕。孔子周遊列國十幾年的開支，恐怕少不了子貢的支助。孔子與弟子們對話時，子貢常不在場，大約是去張羅經費去了。

爲孔子心喪三年的弟子有七十人，三年的生活開支，也多少由子貢支應。子貢自己能不事生產，守喪六年，也因爲家境富有才能辦到。孔子死後，過二十多年，子貢才死在齊國。

子貢一生雖然道德修養不如顏回，學問恐怕也比不上子游、子夏，但他善於經營，爲孔門出錢出力，像是孔門的大護法。孔子死後，維繫弟子在一起若干年，對孔門的發展，貢獻很大。或許弟子們編纂《論語》，子貢也出了不少力吧！

五、曾子

在《史記．仲尼弟子列傳》中，記載曾子的事跡極少，只說：「曾參，南武城人，字子輿，少孔子四十六歲。孔子以爲能通孝道，故授之業。作孝經，死於魯。」

《論語》有關曾子的記述，有十五章。孔子對曾子的評語是：「參也魯。」（〈先進〉）曾子的天資大約比較遲鈍。但這並不妨礙他的學習。曾子說：「吾日三省吾身：爲人謀而不忠乎？與朋友交而不信乎？傳不習乎？」（〈學而〉）由此可見，曾子以「忠」「信」自我期勉，將之落實於日常待人接物之中，時時踐履與反省。對於老師所教的，他也不斷地精勤熟習。

在爲學與踐履上，曾子很重視同學切磋之益，他說：「君子以文會友，以友輔仁。」（〈顏淵〉）他最欣賞的同學，應是顏回，他曾說：「以能問於不能，以多問於寡，有若無，實若虛，犯而不校。昔者吾友，嘗從事於斯矣。」（〈泰伯〉）曾子的篤實自省，和顏回的謙虛自制，風格頗爲相近。

篤實的曾子，自然不滿意於好高騖遠的子張，他說：「堂堂乎張也，難與並爲仁矣。」（〈子張〉）曾子對子張的評語，應非一己的偏見，因爲子游也說：「吾友張也，爲難能也，然而未仁。」（〈子張〉）

曾子雖然是孔子晚年所收的弟子，但由於他的勤奮好學，很快的得到孔子的器重和同學的敬信。有一次，孔子就對曾子說：「參乎！吾道一以貫之。」曾子應說：「唯。」孔子知道曾子明白了，就不再進一步說明。孔子走開後，門人問曾子：「何謂也？」曾子說：「夫子之道，忠恕而已矣！」（〈里仁〉）曾子對孔子所謂的一貫之道，回答得這麼簡潔扼要，可見他是深造有得的。

曾子對「忠」有很好的詮釋，他曾說：「可以託六尺之孤，可以寄百里之命，臨大節而不可奪也。君子人與？君子人也。」（〈泰伯〉）又說：「士不可以不弘毅。任重而道遠，仁以爲己任，不亦重乎？死而後已，不亦遠乎？」（〈泰伯〉）「忠」在曾子來說，就是「仁以爲己任」

「死而後已」的責任感。

在政治上有「可以寄百里之命」的「忠」，便自然有「恕」，這便是一貫之處。孟氏使陽膚爲士師，問於曾子。曾子說：「上失其道，民散久矣。如得其情，則哀矜而勿喜。」（〈子張〉）對人民的「哀矜」，就是「忠」所必然表現的「恕」。

「忠恕」所含的性情之篤厚，不但是君子修養的內涵，也是民風應有的歸向，所以曾子說：「愼終追遠，民德歸厚矣。」（〈學而〉）

曾子說：「君子思不出其位。」（〈憲問〉）這句話也反映出他篤實自省的性格。孟子在談「養浩然之氣」時，對曾子有很高的評價，他說：

「昔者曾子謂子襄曰：『子好勇乎？吾嘗聞大勇於夫子矣。自反而不縮，雖褐寬博，吾不惴焉？自反而縮，雖千萬人，吾往矣。』孟施舍之守氣，又不如曾子之守約也。」（〈公孫丑上〉）

曾子的自反、守約，造就了他勇於承擔責任、義無反顧的氣度。孟子曾引用曾子說：「晉楚之富不可及也。彼以其富，我以吾仁；彼以其爵，我以吾義，吾何慊乎哉？」（〈公孫丑下〉）這樣以仁義自許，面對晉楚之富強，絲毫無慊於心，便是曾子的浩然之氣。

曾子性情的篤厚，表現在家庭倫理上就是「孝」。《孟子》曾記載曾子對父親之孝：

「曾子養曾晳，必有酒肉。將徹，必請所與。問有餘，必曰有。……若曾子則可謂養志也。事親若曾子者可也。」（〈離婁上〉）

「曾晳嗜羊棗，而曾子不忍食羊棗。」（〈盡心下〉）

曾子之孝，當是得自孔子的教導，他說：「吾聞諸夫子：人未有自致者也，必也親喪乎！」（〈子張〉）又說：「吾聞諸夫子：孟莊子之孝也，其他可能也，其不改父之臣與父之政，是難能也。」（〈子張〉）

曾子即使生病時，也懷著不匱的孝思，他召門弟子說：「啓予足，啓予手。詩云：『戰戰兢兢，如臨深淵，如履薄冰。』而今而後，吾知免夫，小子！」（〈泰伯〉）「孝」對曾子來說，正是對父母的終身責任感。

曾子生病時，孟敬子來探問。曾子說：「鳥之將死，其鳴也哀；人之將死，其言也善。君子所貴乎道者三，動容貌，斯遠暴慢矣；正顏色，斯近信矣；出辭氣，斯遠鄙倍矣。籩豆之事，則有司存。」（〈泰伯〉）曾子在面臨死亡時，所懇切叮嚀的，竟是日常生活中，容貌、顏色、言辭、器用之忠信合禮。曾子篤實自省的風格，至死不渝！

《中庸》云：「君子素其位而行，不願乎其外，……在下位，不援上。正己而不求人，則無怨。……子曰：『射有似乎君子，失諸正鵠，反求諸其身。』」由此可見，曾子的自省自反，本得之於孔子，而爲子思所承。其後，「自反」之學風由孟子接續，孟子因此說：

「仁者如射，射者正己而後發。發而不中，不怨勝己者，反求諸己而已矣。」（〈公孫丑上〉）

「愛人不親，反其仁；治人不治，反其智；禮人不答，反其敬。行有不得者，皆反求諸己，其身正而天下歸之。」（〈離婁上〉）

「有人於此，其待我以橫逆，則君子必自反也。」（〈離婁下〉）

「萬物皆備於我矣。反身而誠，樂莫大焉。強恕而行，求仁莫近焉。」（〈盡心上〉）

「博學而詳說之，將以反說約也。」（〈離婁上〉）

自反之學，正是由「博學於文」，返於自身的「約之以禮」，此即曾子之「守約」，也是曾子傳自孔子的「一以貫之」之道。而孟子認爲「禮」非外來，係本於人之心性，於是由「自反」而提出「學問之道無他，求其放心而已矣」（〈告子〉），終於成立性善之說，爲儒學奠定穩固的理論與實踐之基礎。這一系的發展，最後由宋明理學發揚光大，如果探本溯源，不得不感謝曾子的善於弘傳孔子之學！

孟子記云：「昔者孔子沒，三年之外，門人治任將歸，入揖於子貢，相嚮而哭，皆失聲，然後歸。子貢反，築室於場，獨居三年，然後歸。他日，子夏、子張、子游以有若似聖人，欲以所事孔子事之，强曾子，曾子曰：『不可。江漢以濯之，秋陽以暴之，皜皜乎不可尚已。』」（〈滕文公上〉）由此觀之，子夏、子游所學雖博，臨事明辨是非，遠不如曾子。孔子死後，眞能傳承其學的，非曾子莫屬。《論語》之編撰，曾子之門人多參與其事，貢獻良多。而《大學》的體大思精，本於孔子的一貫之道，恐怕也是傳自曾子，而由其門人編成。《大學》遂能與傳自子思的《中庸》，成爲儒學的雙璧，影響後儒深遠！

六、結語

子路、顏回、子貢、曾子四人的言行事跡、為人風格，雖各不相同，但敬愛孔子、篤守所學，卻無二致。讓我們不禁感佩孔子教導入人之深！司馬遷在〈孔子世家〉末尾讚嘆說：「詩有之：『高山仰止，景行行止』雖不能至，然心鄉往之！余讀孔氏書，想見其為人。適魯觀仲尼廟堂、車服、禮器，諸生以時習禮其家，余祇回留之不能去云。」偉大的老師，教導出傑出的弟子；反之，弟子的傑出，豈不也正映襯出老師的偉大！對孔門之風範，「祇回留之不能去」的，豈祇太史公一人！

孟子的智慧

孟子的抱負

要看一個人的抱負，可以有很多不同的角度。譬如說，我們可以看看他對自己的人生與時代環境的認知，他平素的願望，他引以爲樂的事，以及他一生實際的行事等。

孟子認爲他所身處的，是「聖王不作，諸侯放恣，處士橫議。楊朱、墨翟之言盈天下。」的時代，是「邪說誣民，充塞仁義」以至「率獸食人，人將相食」的時代。因此，他的人生使命，即在「正人心，息邪說，距詖行，放淫辭」。這是繼承夏禹、周公、孔子三位聖人的歷史責任。夏禹的使命在「抑洪水」；周公的使命在「兼夷狄，驅猛獸」；孔子的使命在「成春秋，而亂臣賊子懼」。而孟子以爲自己所負的使命在「言距楊墨」。

楊墨的思想爲什麼孟子視之如洪水猛獸呢？楊氏爲我，是極端個人主義，是無政府主義，所謂「無君」。在這種思想下，羣體生活無法維持，社會和政治倫理無從建立，人和禽獸又有何不同？墨氏兼愛，是極端集體主義，雖標榜兼愛無私的羣體生活，但是家庭生活無法維持，家庭倫理必然解體，以至於「無父」，也違反人性。無父子之親，是不仁；無君臣之義，是不義。所以楊墨之言，必導致「充塞仁義」。

楊墨的思想，走向兩個極端，似乎截然不同，但他們都著眼在「利」上，並無二致。極端個人主義，以自己的利益爲第一優先，所謂「陽生貴己」（《呂氏春秋．不二》），固然不可取。極端的集體主義，以團體的利益爲第一優先，犧牲小我以成全大我，難道不是無上的美德？孟子爲什麼批評它是「執一」「舉一而廢百」，是「賊道」呢？

如果以「利天下」爲唯一的標準，很可能爲了團體或多數人的利益，而忽略了對人性的尊重。爲了「利天下」，即使使用暴力也在所不惜，則「利天下」的結果，卻產生了暴政。歷史上爲了天下蒼生或替天行道，而殺人如麻的事，並不少見。當代不少極權者宣稱爲了人民或國家的利益，公然肆行武力鎮壓、血腥屠殺，都是血淋淋的見證。當然，那些被屠殺的人沒有不被極權者視爲危及人民利益，而都罪有應得。

孟子說「行一不義，殺一不辜，而得天下」，是伯夷、伊尹和孔子「皆不爲也」（《公孫丑上》）。這是說，即使只要犧牲一個無罪的人，就能得天下以造福無數的人，聖人也不能這樣做。「利天下」並非唯一的行爲標準，不「行一不義」、不「殺一不辜」也是必須同時考慮的標準。如果以「利天下」爲唯一的標準，就是「執一」「舉一而廢百」，而終不免「賊道」了。

孔子雖也以「因民之所利而利之」（〈堯曰〉）爲從政五美之一，但這並非政治的唯一標準。

「無衆寡，無小大，無敢慢」也是五美之一，孔子在這裡豈不是告訴我們，不論是天下之衆、之大，或一人之寡、之小，都不能有所輕忽。所以，犧牲一無罪之人以利天下，乃聖人所不取。墨子兼愛之功利主義，並非完美自足的正義原則，由此可知。

更何況，一旦以「利」爲首出，難免不假公濟私，以力假仁，以利天下爲名，卻念念在做利己的勾當。以「利」爲號召所帶來的後果，往往只求「利吾身」「利吾家」「利吾國」，總要損人以利己，「上下交征利」「不奪不饜」，則天下又有何眞正的利可言？孟子見梁惠王劈頭就說：「王何必曰利，亦有仁義而已矣！」正是有見於此。楊墨之言所以會導致「庖有肥肉，廏有肥馬，民有飢色，野有餓莩，此率獸而食人也。」的暴政，並非危言聳聽，乃理有固然，勢所必至。楊墨的思想「作於其心，害於其事，作於其事，害於其政」。因此孟子不得不辯，必以「言距楊墨」爲已任！

要「息邪說」「正人心」，對抗楊朱的利己或墨子的利天下，唯有提倡孔子的仁義。孟子認爲「士」必須「尙志」。何謂「尙志」？孟子說：「仁義而已矣！殺一無罪，非仁也；非其有而取之，非義也。」（〈盡心上〉）決不「殺一無罪」以取天下，正是仁義與利天下的毫釐之別。

仁義和利天下相似而實不同。利天下是功利主義，其缺點在重視多數而忽略少數，強調團體而犧牲個人，著眼利益而不顧性情，計算結果的大小多少而不管動機與手段的是非邪正。兼愛的利天下，是建立在利害的計較上；而仁義的安天下，卻是建立在性情的沛然上。前者是外鑠的他律道德；後者是內發的自律道德。孟子主張「仁義內在」，正是針對楊墨「唯利是圖」而發。

因為以「仁義內在」來闢楊墨，所以孟子「道性善，言必稱堯舜」（〈滕文公上〉），便是很自然的事了。孟子的慧眼，看出當時的問題已不是夏禹時的洪水、周公時的夷狄猛獸，也不是孔子作春秋所能解決。解決問題的關鍵在「正人心」，正人心必須由肯定仁義的善性入手。而堯舜正是性善的歷史見證，所以孟子一再說：「堯舜性者也」（〈盡心下〉）「堯舜性之也」（〈盡心上〉），其目的在此。

孟子的慧眼看出，不提倡性善不能正人心、距楊墨，以實現平治天下的抱負，這是孟子不好辯又不得不辯的苦衷。

宰我說：「以予觀於夫子，賢於堯舜遠矣。」（〈公孫丑上〉）孟子也同意這種觀點。孟子雖稱堯舜，但他說：「乃所願，則學孔子也。」（〈公孫丑上〉）這是因為孔子「可以仕則仕，可以止則止，可以久則久，可以速則速」，他並不固執以「利天下」為唯一的標準。孔子不「執一」，不「舉一而廢百」，也就不「賊道」。孟子的一生的心願在「學孔子」，可見他的抱負和孔子是一致的，那就是在符合道德的原則下，實現安天下的理想。請看下文，孟子說：

「由堯舜至於湯，五百有餘歲；若禹、皋陶則見而知之，若湯則聞而知之。由湯至於文王，五百有餘歲；若伊尹、萊朱則見而知之，若文王則聞而知之。由文王至於孔子，五百有餘歲；若太公望、散宜生則見而知之，若孔子則聞而知之。由孔子而來至於今，百有餘歲，去聖人之世，若此其未遠也，近聖人之居，若此其甚也；然而無有乎爾，則亦無有乎爾。」（〈盡心下〉）

類似的觀點，又出現在下面一段對話中：

孟子去齊，充虞路問曰：「夫子若有不豫色然。前日虞聞諸夫子曰：『君子不怨天，不尤人。』」曰：「彼一時，此一時也。五百年必有王者興，其間必有名世者。由周而來，七百有餘歲矣；以其數則過矣，以其時考之則可矣。夫天未欲平治天下也，如欲平治天下，當今之世，舍我其誰也？吾何為不豫哉？」（〈公孫丑下〉）

在以上兩章中，孟子以堯舜為第一代的聖人，過五百年有湯，再過五百年有文王，再過五百年有孔子，這些都是「聞而知之」的聖人或王者。而每次聖人出現，都有「見有知之」的賢人或名世者出現，如禹、皐陶、伊尹、萊生、太公望、散宜生等。然而自文王以來，已經七百多年沒有王者出現；自孔子死後百餘年間，也沒有賢人或名世者出現。孟子擔心如果現在沒有，以後可能也不會再有了。孟子正是以孔子之後的賢人、名世者自許，甚至以文王之後而能平天下的王者自期。孟子正是那種「雖無文王猶興」的「豪傑之士」（〈盡心上〉），他的抱負眞不可小覷呢！

上引的兩章中，孟子一再強調五百年必有王者或聖賢出現以治天下；上文孟子在承擔「言距楊墨」的歷史使命時，也曾提出「天下之生久矣，一治一亂」的說法。孟子似乎懷有一種周期性的歷史觀。但孟子並非是歷史的循環論或命定論者。歸納過去的歷史，似乎有五百年一循環的周期，不過孟子並未主張未來的歷史一定依於這種規律。王者興的關鍵，在豪傑之士自己的努力，不能等待「文王」命定地出現。過去的歷史，似乎有「一治一亂」的現象，而儒家的弘願，卻是要經由人的努力，改變這種歷史的宿命。張橫渠的四弘願說：「爲天地立心，爲生民立命，爲往聖繼絕學，爲萬世開太平。」（《宋元學案》卷十八）正是儒者共同的抱負，也是孟子一生的寫照。

孟子說：「夫天未欲平治天下也」，似乎他認爲歷史的發展，係由天命所決定。他的「不豫」難免沒有怨天的意思。不過，這只是孟子的一時感嘆罷了，不能據此說孟子有歷史命定論的思想。

其次，我們來看看孟子引以爲樂的事是什麼？孟子說：

> 「君子有三樂，而王天下不與存焉。父母俱存，兄弟無故，一樂也。仰不愧於天，俯不怍於人，二樂也。得天下英才而教育之，三樂也。君子有三樂，而王天下不與存焉。」

（〈盡心上〉）

在這一章中，孟子一再强調君子的樂不在「王天下」。君子雖然以安天下爲抱負，但這種理想的實現，必須有相當的客觀條件來配合，不可强求。客觀的條件不是我們能夠完全掌握的，所以不能不承認一種客觀的、歷史條件的限制，於是有「天命」之說。孟子說：「莫之爲而爲者，天也；莫之致而至者，命也。」（〈萬章上〉）人類的有限性，使我們在追求無限的理想（安天下）時，總是有所缺憾，所以《中庸》說：「天地之大也，人猶有所憾。」因此，我們比較容易實現的樂事，不在王天下，而在家庭生活的圓滿……父母俱存，兄弟無故；個人德行的圓滿……仰不愧於天，俯不怍於人；以及教育工作的圓滿……得天下英才而教育之。能不能王天下，實在只能以此存心，而不能求其必至。這就是孔子「毋必」的人生態度。其實嚴格說來，「父母俱存，兄弟無故」「得天下英才而教育之」二事，也並不是人人都可以圓滿地得到呢。孟子又說：

「廣土眾民，君子欲之，所樂不存焉。中天下而立，定四海之民，君子樂之，所性不存焉。君子所性，雖大行不加焉，雖窮居不損焉，分定故也。君子所性，仁義禮智根於心。其生色也，睟然見於面，盎於背。施於四體，四體不言而喻。」（〈盡心上〉）

由這章可見，孟子並非否定王天下的樂，但這種樂不是性分所固有。性分定有的樂，是由本有的德性，表現爲睟面盎背、四體不言而喻，這是由德性的自我實現，所達到統整性人格的悅樂。由於天命的限制，我們的本性未必能使我們得到王天下的樂，卻可保證我們可以實現道德的樂。所以孟子勸滕文公說：「君子創業垂統，爲可繼也；若夫成功，則天也。君如彼何哉？彊爲善而已矣。」（〈梁惠王下〉）我們可以必得的，是勉力爲善，至於其他的事，難免有客觀的限制，而不能強求。爲善成德不僅是性分必可得之樂，也是我們的無上義務，因此孟子說：「動容周旋中禮者，盛德之至也。哭死而哀，非爲生者也。經德不回，非以干祿也。言語必信，非以正行也。君子行法，以俟命而已矣。」（〈盡心下〉）這種樂天知命的人生態度，正使得不是宗教的儒家道德思想，具有一種宗教才特有的信念或情操。這是我們在探討孟子的人生抱負時，所不能忽略的地方。

孟子的慧眼看出，不提倡性善不能正人心、距楊墨，以實現平治天下的抱負，這是孟子不好辯又不得不辯的苦衷。

道性善

一、孔子主張性善嗎？

「性善」的說法，是孟子第一個提出的。

孔子很少談到「性」，子貢說：「夫子之言性與天道，不可得而聞也。」（〈公冶長〉）子貢所謂「不可得而聞」，可能意指難得而聞，未必是說孔子從未言及此，否則子貢何以忽然提出「性與天道」作爲話題？子貢強調孔子鮮言性與天道，多言「文章」，這眞實地反映了孔子的教學態度。《論語》說：「子以四教：文、行、忠、信。」（〈述而〉）在日常教學中，孔子顯然並不教性與天道。這或許正因孔子所謂：「中人以上，可以語上也；中人以下，不可以語上也。」（〈雍也〉）對性與天道，孔子不願多言，卻正是《中庸》所盛言的。（但我們推斷《中庸》的成篇，應在孟子之後，另有專章論及此，茲不復贅。）

孔子唯一論及性的是：「性相近也，習相遠也。」（〈陽貨〉）先天的性既然相近，就毋須再强調，必須强調的是後天的習。習是後天環境或學習的作用，這才是孔子立教的重心。所以《論語》劈頭第一話便說：「學而時習之，不亦說乎？」

緊接著上引論性的次一章，孔子又說：「唯上知與下愚不移。」（〈陽貨〉）如果這一章與前一章論性是相關的話，則孔子所說「相近」的性，乃非上知與下愚的中人之性。那麼，孔子說的性，是指才性，也就是指實現善的天賦能力說。能力極高或極低，是上知與下愚，能力中等的是中人。因此，並不能直接說「相近」的性，是善，而是實現善的天賦能力。所以，孔子論性時，並未直接主張性善。

雖然孔子未直接說性善，但他在有些話中又似乎意味著性善。如他說：「天生德於予，桓魋其如予何？」（〈述而〉）孔子以自己的道德是天生的，是否暗示他的成德有天生的德性作根據呢？如果他承認自己有德性，那麼其他人也可能有德性。不過，「天生德於予」也可解釋作「我的成德是天所促成的，天有意使我成就如此之道德」，則孔子並未在此隱含性善之意。

此外，子曰：「一日克己復禮，天下歸仁焉。為仁由己，而由人乎哉？」（〈顏淵〉）又曰：「仁遠乎哉？我欲仁，斯仁至矣！」（〈述而〉）這兩章也有人視為孔子主張性善的證據。其實未必如此，因為「為仁由己」的說法，即使主張性惡的荀子也可以這麼說。不管性善、性惡，為仁是自己的事，別人無法替你為仁。而「我欲仁，斯仁至矣」是聖人「從心所欲，不踰矩」的境界。孔子達到此境界，荀子並未否認。但荀子並不主張聖人的性是善的。所以孔子此言，也不必非預設性善不可。因此上述兩章，未必隱含性善之意。

另外有一章，也頗值得玩味：

宰我問：「三年之喪，期已久矣。君子三年不為禮，禮必壞；三年不為樂，樂必崩。舊穀既沒，新穀既升，鑽燧改火，期可已矣。」子曰：「食夫稻，衣夫錦，於女安乎？」曰：「安。」「女安則為之。夫君子之居喪，食旨不甘，聞樂不樂，居處不安，故不為也。今女安，則為之。」宰我出。子曰：「予之不仁也。子生三年，然後免於父母之懷。夫三年之喪，天下之通喪也。予也，有三年之愛於其父母乎？」（〈陽貨〉）

在這裡，孔子認爲喪期之長短，並非取決於外在的條件，如爲禮、爲樂的事或新舊穀的更替、鑽火之木的改換，而係取決於內在的需要：居喪的不安。換句話說，道德行爲之規定，是基於個人內心眞實的需要。而這種需要，孔子似乎認爲有普遍性，所以可以定爲客觀的禮（天下之通喪），由所有的人共同遵守。宰我自認居喪能安，孔子以其爲不仁。因此，孔子係由人的普遍性來論仁不仁，則仁必以人的普遍性爲根據。所以我們可以推論，孔子應承認人有某種普遍的善良品質，作爲成德（仁）的內在條件或基礎。宰我不能表現這種品質（沒有三年之愛於其父母），因而爲不仁。但是這種善良的、普遍的品質，是人的天性嗎？孔子似乎是隱含此意，而沒有直接地說，到孟子才明確宣示性善之義。

二、可善、向善或本善？

孟子主張人性本善，即人性本來就是善的，他並非主張人性可以爲善，或人性向善。人可以爲善、可以爲惡，但人性即是善，並非可以爲善、可以爲惡。如果說人性可以爲善、可以爲惡，那麼人性是中性的，不可以善惡言。如果人性祇是向善，則它有向善的能力或傾向。如果人性有向善的能力，荀子也同意此義，他又何必反對孟子？如果說人性傾向於善，孟子就不能以仁、義、禮、智爲性，而祇能說：人性傾向於仁、義、禮、智，這違反孟子自己一貫的說法。如果人性本身不是仁、義、禮、智，而是傾向於仁、義、禮、智，則仁、義、禮、智必在人性本身之外，孟子又何必一再反對告子「義外」之說？因爲孟子自己也主張「義外」了。所以，孟子並非主張人性可以爲善，或人性向善。

〈告子上〉說：

公都子曰：「告子曰：『性無善無不善也。』或曰：『性可以為善，可以為不善。是故文、武興，則民好善；幽、厲興，則民好暴。』或曰：『有性善，有性不善。是故以堯為君，而有象；以瞽瞍為父，而有舜；以紂為兄之子，且以為君，而有微子啟、王子比干。』今曰性善，然則彼皆非與？」孟子曰：「乃若其情，則可以為善矣，乃所謂善也。若夫為不善，非才之罪也。……仁、義、禮、智，非由外鑠我也，我固有之也，弗思耳。故曰：『求則得之，舍則失之。』或相倍蓰而無算者，不能盡其才者也。詩曰：『天生蒸民，有物有則，民之秉夷，好是懿德。』孔子曰：『為此詩者，其知道乎！』故有物必有則，民之秉夷也，故好是懿德。」

告子所謂「性無善無不善」，即以性是中性的。或曰：「性可以爲善，可以爲不善。」也是以性是中性的，受環境的影響，可以變爲善，也可以變爲惡，即近朱者赤，近墨者黑之意。「有性善，有性不善。」是以有人是性善，有人是性惡。孟子之說與以上三說都不同。他的性善是指「乃若其情，則可以爲善矣，乃所謂善也。」人順著自己的本性（情），就可以成爲善，因此說本性爲善。如果人作了不善之事，並非本性（才）所致。善（如仁、義、禮、智）是人本來就有的。不能盡其本性（才），才使人在道德上有種種區別。人的本性即天賦的法則，人的本性即是愛好美德。本性愛好美德，所以說本性即善。孟子以性本身即善，並非向善。孟子說：

「人無有不善，水無有不下。今夫水搏而躍立，可使過顙，激而行之，可使在山，是豈水之性哉？其勢則然也。人之可使為不善，其性亦猶是也。」（〈告子上〉）

水自然往下流是水性，人自然無有不善是人性。因爲外在的力量，可以使水往上流，這不是水性；因爲後天的環境，可以使人爲不善，這不是人性。人可以爲不善，人性本來並不爲不善。往下流是水的自然法則，無有不善是人的自然法則。孟子說：

「天下之言性也，則故而已矣。故者，以利為本。所惡於智者，為其鑿也。如智者若禹之行水也，則無惡於智矣。禹之行水也，行其所無事也。如智者亦行其所無事，則智亦大矣。天之高也，星辰之遠也，苟求其故，千歲之日至，可坐而致也。」（〈離婁下〉）

「故」是過去已現的軌跡法則。我們必須根據事物過去已現的法則來說它有什麼「性」。我們如果不憑自己的智力任意穿鑿，而能順著事物已現的法則行事，就是「行其所無事」，這才眞是大智者。大禹治水，就是順水往下流的水性，所以輕而易舉地成功了。天雖然高，星辰雖然遠，如果掌握它已現的法則，即使千年以後的冬至，也可以推算出來。

三、惻隱之心從那裡來？

前節所引兩章，祇是用自然界的事物（水、天、星辰）來比喻，類推地說明性善。這並未有效地證明人性本善。其他如〈告子上〉以「牛山之木嘗美」來比喻人有良心，又以「口之於味也，有同耆焉；耳之於聲也，有同聽焉；目之於色也，有同美焉。」來類推人心也有同然「謂理也，義也。」這些也都不是性善的有效論證。

孟子直接論證性善的見於下面一章：

「所以謂人皆有不忍人之心者：今人乍見孺子將入於井，皆有怵惕惻隱之心；非所以內交於孺子之父母也，非所以要譽於鄉黨朋友也，非惡其聲而然也。由是觀之：無惻隱之心，非人也；無羞惡之心，非人也；無辭讓之心，非人也；無是非之心，非人也。惻隱之心，仁之端也；羞惡之心，義之端也；辭讓之心，禮之端也；是非之心，智之端也。人之有是四端也，猶其有四體也。」（〈公孫丑上〉）

在此，孟子以「今人乍見孺子將入於井，皆有怵惕惻隱之心」來證明人皆有惻隱之心（不忍人之心），而惻隱之心是仁之端，因而推證人皆有仁性，於是性善可以得證。這是由心善來證性善。「今人乍見孺子將入於井，皆有怵惕惻隱之心。」這個陳述到底是否符合客觀的事實呢？這點很難用客觀的方法驗證。對這個全稱命題，孟子並沒提出符合科學的統計數據。但是，當我們身處孟子所擬設的情境時，恐怕很難否認自己也會有惻隱之心。有無惻隱心之事，可以自證、內證，不必也不可能由他人證明給你看。因此，我們很難反對孟子這麼說。

也許有人反駁說：我雖然不否認有惻隱心，但也不能證明此心是我的本性啊！孟子的論證是：在「乍見」的情況下出現此心，此心的出現沒有其他的任何條件，既不因為想結交孺子的父母，以得到什麼好處；也不因為要博得一個行善救人的美譽；更不是因為討厭聽到孺子入井可能發出的慘叫聲。在沒有任何理由下，惻隱心的出現祇能視為人性的自然流露了。

或者有人又反駁道：文化教養教人在這種情況出現時，應該表現惻隱，所以惻隱心的出現是教育所得的反應，並非人性本來如此。這樣的反駁，似乎對教育的功能作了過高的估計。在教育過程中刻意反覆教導、練習的事，我們還不一定學得會，更何況我們的教育並沒有特別地訓練我們，在類似情境中作出惻隱的反應。而且在「乍見」的倉促而不假思考的情況下，我們的反應大都出自本能，很少是教育的結果。當然，倉促中的行為，也可能是一種習慣性的反應，如我們駕車時遇到突發情況，會習慣地緊急煞車，這是後天學來的。但類似孺子入井之事，不可能常常發生，所以惻隱心的出現，也不可能是一種習慣性的反應。既然惻隱心的反應，不是由教育學來的，也不具有習慣性，所以應是本性的自然流露。

有人又說：在孟子擬設的情況中，須先具有關於孺子入井危險性的知識，才可能產生惻隱心。而知識是來自於經驗與學習，是後天得到的，所以惻隱心也是後得的，並非本性。這種說法隱含著一種混淆。知識對惻隱心的產生，雖然是必要的條件，卻非充分的條件，它祇是助緣條件。世界上知識豐富卻昧著良心，見死不救的人也不少。所以光有入井危險的知識，未必產生惻隱。惻隱不源自知識，而是源自我們的本性。乍見孺子將入井，透過知識瞬間判斷其危險性，同步啓動了我們本性之仁，於是發出惻隱之心，命令身體立即採取救援的行動，這便是整個過程。知識是後得的，惻隱心的產生也是後天的，但惻隱心所源自的本性，卻是先天的、固有的，並非因知識而有。

有人也許這麼說：如果人有仁性，爲什麼在狼羣中長大的狼人沒有惻隱之心呢？這又把「有本性」與「有本性的表現」混爲一談了。孟子雖然主張人性本善，但並沒有主張所有的人都能天生地表現善性，是否能表現善性仍有待於存養，所以說：「求則得之，舍則失之。」而「有放心而不知求。」（〈告子上〉）正是一般人的通病，更不用說是狼人了。這也正是孟子立教道性善的原因所在。即使是聖人如舜，如果「居深山之中，與木石居，與鹿豕遊」，那麼他和深山的野人也祇差一點點而已。聖人也要「聞一善言，見一善行」，才能「若決江河，沛然莫之能禦也」（〈盡心上〉）。

我們現在來作個比喻，如一顆種子，雖內在有生命力，但仍須從外面給予水等條件來培養，它的生命力才能發揮功能，種子才能發芽、茁壯。如果不給予適當的環境條件，如將種子棄置在沙漠中，或隔絕在眞空瓶中，它勢必無法生長。我們能因爲它的生命力沒有表現，便說它原來沒有生命力嗎？如果說生命力是後天環境（如水等）施予的，那麼同樣的條件給予一粒石子，它爲何不生長？

又譬如汽油，它雖有可燃性，如果不用火柴去點它，或用其他的方法提高它的溫度以至於燃點，它不會燃燒，可燃性無從得見，但我們不能因而說它沒有可燃性。如果說是外在的環境條件（如用火柴點它）給它可燃性，那麼用同樣的條件給予水，它爲何不燃燒？所以狠人不表現仁性，並不能證明他沒有仁性。

也許又有人說：即使仁是人的本性，但人類所以有此天性，卻是經過人類長期進化。因社會生活的需要而內化爲人性，並且遺傳給後代，並非原始人就有惻隱之心。這種說法，也不足以駁倒孟子。孟子祇說「今人」都有惻隱之心，至於原始人有沒有，不在討論之列。

四、平旦之氣與良心

孟子除了由「乍見孺子將入於井」證明人皆有惻隱之心外，又由「平旦之氣」或「夜氣」來證明良心善性的存在。他說：

「雖存乎人者，豈無仁義之心哉，其所以放其良心者，亦猶斧斤之於木也。旦旦而伐之，可以為美乎？其日夜之所息，平旦之氣，其好惡與人相近也者幾希。則其旦晝之所為，有梏亡之矣。梏之反覆，則其夜氣不足以存。夜氣不足以存，則其違禽獸不遠矣。人見其禽獸也，而以為未嘗有才焉者，是豈人之情也哉？故苟得其養，無物不長；苟失其養，無物不消，孔子曰：『操則存，舍則亡。出入無時，莫知其鄉。』惟心之謂與。」（〈告子上〉）

人在天剛亮或深夜時的精神狀態，叫「平旦之氣」「夜氣」。此時萬籟俱寂，利害兩忘，與世無爭，心中一片清明祥和，這便是人本心善性或良心的眞實流露。人的這種「平旦之氣」中原有的好惡，就是人與人所具有的一點點相近之處，孟子即由此處證明良心的存在。如果不好好地操持存養，白天的利害爭奪，很容易地會把日夜孳息的這一點點「氣」梏亡了。這就如同牛山之木「旦旦而伐之」，終於寸草不生了。

良心善性所呈現的好惡，是人人所同有的，所以孟子說：「所欲有甚於生者，所惡有甚於死者，非獨賢者有是心也，人皆有之，賢者能勿喪耳。」（〈告子上〉）孟子引詩曰：「天生蒸民，有物有則，民之秉夷，好是懿德。」這「好是懿德」就是良心呈現的好惡。

至於如何存養良心，使夜氣能不梏亡於人的「旦晝之所爲」，則關鍵在「寡欲」。孟子說：「養心莫善於寡欲。其爲人也寡欲，雖有不存焉者寡矣；其爲人也多欲，雖有存焉者寡矣。」（〈盡心下〉）良心雖有待存養，這並不表示良心是後得的，所以孟子說：「人之所不學而能者，其良能也；所不慮而知者，其良知也。」（〈盡心上〉）

五、人也有獸性嗎？

人可以表現得像禽獸一樣，是否也表示人也有獸性呢？孟子並不反對這一點。孟子說：「人之所以異於禽獸者幾希。」（〈離婁下〉）人和禽獸相同的地方很多，不同的地方卻很少。但是談人性時，應該是談人與禽獸相異的部分，卻不該談相同的部分。如我們說大學生之所以爲大學生的性質時，應談他與中、小學生相異部分的性質，而不應强調那些相同的部分。我們可以說大學生之所以爲大學生，因爲他有較多獨立思考及獨立爲學的能力；而不應强調他會作算術或會ㄅㄆㄇ。同樣地，人之所以爲人之性，不在他有「食色」之性（禽獸也有）；而在他有仁、義、禮、智之性。因此孟子說：「形色，天性也。惟聖人然後可以踐形。」（〈盡心上〉）

孟子又說：「口之於味也，目之於色也，耳之於聲也，鼻之於臭也，四肢之於安佚也；性也，有命焉，君子不謂性也。仁之於父子也，義之於君臣也，禮之於賓主也，智之於賢者也，聖人之於天道也；命也，有性焉，君子不謂命也。」（〈盡心下〉）人雖有禽獸之性（如食色及口之於味等），但人性（仁、義、禮、智）不同於禽獸之性。所以說人性時，不應把禽獸之性說爲人性。這並不是孟子否認人有禽獸之性。强調人與禽獸相異處，所以「君子上達」；念念不忘人與禽獸相同處，視人如動物或物，所以「小人下達」（《論語・憲問》）。孟子所以獨標仁、義、禮、智爲性，用意在此。

至於禽獸之性算不算就是惡？或禽獸是否也有善性？這是更進一步的問題，孟子並未討論及此。

六、性的形式與內容

告子說：「生之謂性。」（〈告子上〉）其實，這才是孟子以前說性的通行講法。上引孟子講「形色，天性也。」及「動心忍性。」（〈告子下〉）都還沿用傳統的講法。但這種「性」「君子不謂性也」，「不謂性」是指「不說它是人性」，孟子正有意要區分人性和禽獸之性的不同。就「性」這個概念所意謂的形式意義來說，它的確沒有不同，凡天生的品質或功能即是「性」。所以人性和獸性都是「性」，如就白的概念本身的形式意義說，白羽的白同於白雪的白、白玉的白。但就「性」所指涉的內容來說，會因不同的事物而有不同的性。所以人性不同於獸性，如犬的性不同於牛的性、人的性。孟子下面與告子的對話正是此義：

孟子曰：「生之謂性也，猶白之謂白與？」曰：「然。」「白羽之白也，猶白雪之白，白雪之白，猶白玉之白與？」曰：「然。」「然則犬之性，猶牛之性，牛之性，猶人之性與？」（〈告子上〉）

下面這段對話尤其精彩：

告子曰：「食色，性也。仁，內也，非外也。義，外也，非內也。」孟子曰：「何以謂仁內義外也？」曰：「彼長而我長之，非有長於我也。猶彼白而我白之，從其白於外也，故謂之外也。」曰：「異於白馬之白也，無以異於白人之白也！不識長馬之長也，無以異於長人之長與？且謂長者義乎？長之者義乎？」曰：「吾弟則愛之，秦人之弟則不愛也，是以我為悅者也，故謂之內。長楚人之長，亦長吾人之長，是以長為悅者也，故謂之外也。」曰：「耆秦人之炙，無以異於耆吾炙。夫物則亦有然者也。然則耆炙亦有外

與？」（〈告子上〉）

就「長」的形式意義來說，是因其年長而以長視之，所以長馬之長如同長人之長。但就「長」的內容來看，長馬之長時沒有恭敬；但長人之長時帶有恭敬，不能混同。所以不是「長」（年長）的客觀事實本身是「義」，可以決定我們主觀的恭敬；而是「長之」（恭敬其長）的主觀態度本身是「義」。決定恭敬是義或不義，是我們主觀的、主體的或內在的本心善性，而不是客觀或外在的事實，所以告子「義外」是錯的。「愛」不是如告子所謂係「以我爲悅」；「長」（恭敬其長）也不是「以長爲悅」，而是本心善性的內在決定。這如同「耆秦人之炙」與「耆吾炙」，並非「炙」所決定，而是自己本身主觀口味之愛好（耆）所決定。「炙」只不過提供一個滿足「耆」的外緣條件罷了。同樣地，本心善性決定「愛」或「長」（恭敬其長）。「弟」或「長」（年長）只不過提供一個引發「愛」或「長」的外緣條件罷了。這和「乍見孺子將入於井」只不過提供一個引發「惻隱之心」的外緣條件的情形是相似的。

以「義」在「性」之外，即是以「善」在「性」之外，這猶如「以杞柳爲桮棬」，這是教人扭轉本性來服從外在的義，使人不樂於行義爲善，道德成爲他律的、戕害人本性的，自律道德變爲不可能，這是「義外」說的最大禍害。這也是孟子不得不提倡「性善」的主要原因。所以孟子和告子又有以下的一段對話：

告子曰：「性，猶杞柳也；義，猶桮棬也。以人性為仁義，猶以杞柳為桮棬。」孟子曰：「子能順杞柳之性而以為桮棬乎？將戕賊杞柳而後以為桮棬也？如將戕賊杞柳而以為桮棬，則亦將戕賊人以為仁義與？率天下之人而禍仁義者，必子之言夫！」（〈告子上〉）

七、惡從那裡來？

也許有人質疑：如果人性本善，那麼惡從那裡來？孟子對此問題，提出了明確的回答。他認爲人之爲惡，是因爲人的本心不能發揮道德思維或判斷的功能，以實現本性之善。如上文所引：「仁義禮智，非由外鑠我也，我固有之也，弗思耳矣。故曰：『求則得之，舍則失之。』或相倍蓰而無算者，不能盡其才者也。」下文也同此義：

公都子問曰：「鈞是人也，或為大人，或為小人，何也？」孟子曰：「從其大體為大人，從其小體為小人。」曰：「鈞是人也，或從其大體，或從其小體，何也？」曰：「耳目之官，不思而蔽於物，物交物，則引之而已矣。心之官則思，思則得之，不思則不得也。此天之所與我者，先立乎其大者，則其小者不能奪也。此為大人而已矣。」（〈告子

上〉）

孟子認爲人之爲惡（小人），是因爲作爲大體的心，不發揮道德的思維，去主宰耳目等小體。耳目自身不能思維道德，於是被外物所矇蔽而被引誘，反而主宰了心。也就是說，道德理性被感性所主宰，惡由此產生。這叫「失其本心」或「陷溺其心」（〈告子上〉）。下文孟子指出人所以「陷溺其心」，環境的影響很大：

「富歲，子弟多賴；凶歲，子弟多暴。非天之降才爾殊也，其所以陷溺其心者然也。今夫麰麥播種而耰之，其地同，樹之時又同；浡然而生，至於日至之時，皆熟矣。雖有不同，則地有肥磽，雨露之養，人事之不齊也。故凡同類者，舉相似也，何獨至於人而疑之？聖人與我同類者。」（〈告子上〉）

環境的力量叫「勢」，即前文所謂「人之可使爲不善」「其勢則然也。」不過，在一般的情形中，環境能影響人，卻不能決定人的行爲。通常人總有自由意志，以決定自己的行爲。人可以接受環境的影響，也可以不接受環境的影響，人總有相當抉擇的自由，所以人不能以環境不良爲自己的惡行找藉口。人不僅自己在選擇環境，且有能力塑造或改良環境。人更參與塑造自己的性格，因此也不能以性格缺陷爲理由，逃避罪罰。如果人完全受環境或性格的擺佈，而無法運用其自由意志，如同一個機械人，那麼以道德責任來要求他，洵屬過分。道德的先決條件，是人有自由意志。因有自由意志以從事行爲的抉擇，所以必須明辨是非，爲自己的行爲負起道德責任。人性雖善，但善性不能決定人必爲善，否則人天生且永遠是聖人，何必道德修養？人性雖善，人卻有自由以決定爲善或爲惡，這便是人的尊貴之處。人既有理性，也有感性；有大體，也有小體。感性與小體並非是惡。當理性臣服於感性；大體爲小體所奪時，才產生了惡。修養的工夫，即在維持心體理性的功能，以調節感性。其最後的成果是「從心所欲，不踰矩」的境界，這是理性與感性、大體與小體，達到圓滿的統一的人格境界。這種境界不是天生的，但它的根據卻在性善（道德理性或良心）。

八、盡心才能知性

最後，必須說明的一點是：以邏輯的方式論證人有沒有善性，或人性是不是本善時，都祇是抽象地說說而已。人性是什麼，必須透過修養才能眞正證知。這叫「實踐的進路」。

這猶如你必須下水練習游泳，才知道你有沒有游泳的天賦；當你盡力去練習後，才知道你的這種天賦有多美好。人的潛能有待於開發與自我實現，在沒有開發與實現前，人並不能眞正了解自己的潛能是什麼，以及自己的潛能有多好。善性也有待於開發、栽培和實現。「苟得其養，無物不長；苟失其養，無物不消。」所以孟子說：「盡其心者，知其性也。知其性，則知天矣。存其心，養其性，所以事天也。殀壽不貳，脩身以俟之，所以立命也。」（〈盡心上〉）沒有「盡心」「存心養性」的修身工夫，我們很難眞正的「知性」呢！

辨義利

一、儒家對利的態度

《論語》中提到「利」的，有下列這些章句：

子罕言利與命與仁。（〈子罕〉）

子曰：「放於利而行，多怨。」（〈里仁〉）

子曰：「君子喻於義，小人喻於利。」（〈里仁〉）

(子)曰:「今之成人者何必然?見利思義,見危授命,久要不忘乎平生之言,亦可以為成人矣。」(〈憲問〉)

子曰:「不仁者,不可以久處約,不可以長處樂。仁者安仁,知者利仁。」(〈里仁〉)

子夏為莒父宰,問政。子曰:「無欲速,無見小利。欲速,則不達,見小利,則大事不成。」(〈子路〉)

子張曰:「何謂惠而不費?」子曰:「因民之所利而利之,斯不亦惠而不費乎?」(〈堯曰〉)

由此可知,孔子的確很少談到「利」。但這並不意味著他反對一切利。他反對的是與仁義相反的利,這種利是小利,其後果是「多怨」。至於「利仁」的利、「因民之所利而利之」的利,是符合仁義的、成「大事」的大利,孔子當然是贊成的。

「民之所利」必須滿足,這是執政者的責任。周文王所以令人民念念不忘,依《大學》說,就是因爲他能實現「君子賢其賢而親其親，小人樂其樂而利其利」的德政。《大學》反對橫征暴斂，與民爭利，而主張「國不以利爲利，以義爲利也」。「以義爲利」正指出「利」並不一定與「義」衝突。

《易經·乾文言傳》說：「利者，義之和也。」可見「利」就是義的和諧而完美地實現（義之和）。《乾文言傳》又說：「利物足以和義。」則「利物」足以和諧地實現義（和義）。「利物」就是所謂「因民之所利而利之」或「小人樂其樂而利其利」。利己的「小利」，導致「多怨」甚至「菑害並至」（《大學》），這是「以利爲利」；「利物」的大利，則合於「義」，這是「以義爲利」。

儒家要實現人民的「樂其樂而利其利」，也贊成謀求人羣的大利或公利，但反對身爲社會中堅的君子追求個人的小利或私利。治國要「足食」（〈顏淵〉）；君子卻應「謀道不謀食」（〈衞靈公〉）。治國要先「富之」（〈子路〉）；君子卻應「憂道不憂貧」（〈衞靈公〉）。治國須「生財有大道」（《大學》）；爲政者自己卻應「賤貨而貴德」（《中庸》）。

就小利、私利來說，見利必須思義，義、利不可不辨。就大利、公利來說，利是實現義的必要條件，利和義有一致處。說二者有一致處，並不是主張公利就是義。否則孟子又爲什麼指責墨子的「利天下」爲「賊道」？因此，在謀求公利之時，仍須在義的規範下，不能不擇手段或「行一不義」（〈公孫丑上〉）以求公利。所以義才是最高的判斷標準。孔子說：「君子之於天下也，無適也，無莫也，義之與比。」（〈里仁〉）正是此意。由此可見儒家和一味强調公利之西方功利主義的分野。

儒家既然以義爲利，不以利爲利，所以不願多談利，而要嚴義利之辨了。

二、孟子的義利之辨

孟子說：「周於利者，凶年不能殺；周於德者，邪世不能亂。」（〈盡心下〉）可見孟子認爲「利」和「德」都是必需的，他並非反對一切利。他所反對的是不顧仁義，而唯利是圖，所以他說：

> 「雞鳴而起，孳孳為善者，舜之徒也。雞鳴而起，孳孳為利者，蹠之徒也。欲知舜與蹠之分，無他，利與善之間也。」（〈盡心上〉）

孟子於七篇的第一章，就開宗明義地明辨義利，所謂「王何必曰利？亦有仁義而已矣。」這句話眞是暮鼓晨鐘，震聾發聵，不僅是對戰國的亂世而發，也是對一切世代而發。凡言利，終究以私利爲先，「王曰何以利吾國？大夫曰何以利吾家？士庶人曰何以利吾身？」其結果沒有不

「上下交征利，而國危矣。」如此一來，又有何眞正的利可得？凡行仁義，則必不「遺其親」「後其君」，乃眞正有利於吾身、吾家、吾國。所以，不言利而利自在其中。在現代的社會中，許多人把個人的利益看得比什麼都重要，在爭權奪利之時，往往將道義棄置不顧。如果社會中大多數人都是如此見利忘義，則生活在其中的個人還有眞正的幸福可言嗎？

孟子不言利的態度，和孔子「罕言利」是一致的。這就是《易經．乾文言傳》所謂：「乾，始能以美利利天下，不言所利，大矣哉！」以乾「剛健中正」之德，必能「雲行雨施，天下平也」。儒家以義爲利，才能實現「以美利利天下」而至「天下平」，正是「不言所利」所得的大利！

宋牼欲說秦王、楚王，以罷秦楚之搆兵，其說辭是：「我將言其不利也。」孟子對他說：「先生之志則大矣，先生之號則不可。」（〈告子下〉）孟子不反對罷兵之利，但反對以「言其不利」爲號召，因爲「悅於利，以罷三軍之師」，雖得一時之利，必導致「君臣、父子、兄弟終去仁義，懷利以相接；然而不亡者，未之有也。」這才是眞正的不利。

墨子的兼愛、非攻，和宋牼相似，也是以「利」爲號召，必然後患無窮，所以孟子說：「楊子取爲我，拔一毛而利天下，不爲也。墨子兼愛，摩頂放踵利天下，爲之。子莫執中，執中爲近之。執中無權，猶執一也。所惡執一者，爲其賊道也，舉一而廢百也。」（〈盡心上〉）以利爲號召，不論是「爲我」還是「利天下」，都是「舉一而廢百」，只見其利不見其害，因此爲孟子所不取。

有一次，陳代勸孟子不妨委曲自己以求見諸侯，必能因此王天下或霸諸侯。他稱此爲「枉尺而直尋」。孟子斷然拒絕，他說：「枉尺而直尋者，以利言也。如以利，則枉尋直尺而利，亦可爲與？」（〈滕文公下〉）如果以利爲最高判準，則有什麼事不可爲？那又將爲求利天下而不擇手段了。這樣果眞能利天下嗎？豈不又是緣木求魚。所以孟子接著說：「枉己者，未有能直人者也。」

義利之辨，不是教人放棄一切利益，而是要明辨義利的差別，能見利思義、以義爲利。一旦以義爲最高的準則，才能眞正獲得並安享一切利益。

三、什麼是義？

在明辨義利時，對什麼是利，不難了解。利，簡單地說就是幸福，不論是物質的或精神的幸福。但對什麼是義，卻很難定義。功利論者或以能促進最大多數的快樂爲善，這種只論結果不問動機與過程的善，是不是就眞的是善呢？而且爲了多數人的快樂，就可以犧牲少數人嗎？功利論的缺點顯然可見。在道德哲學上，儒家傾向於一種義務論，而且動機、過程與結果同樣予以重視。筆者另有一文〈由動機、結果及行爲之倫理判斷探討儒家倫理思想〉討論這方面的問題，這裡就不再重複了。

孔子論「義」，大多把它視爲德行或行爲的標準。孔子說：「君子義以爲質，禮以行之，孫以出之，信以成之。」（〈衞靈公〉）這段話中的「質」，指內在的道德基本品質來說，所以與「行之」「出之」「成之」相對。但這裡的「質」還未必就是「本性」，因「內在的道德基本品質」也可能是指後天習得的人格品質。所以，孔子還沒有明白地以「義」爲人的本性。孟子才正式以「義」爲本性或本心，而說：「君子所性，仁、義、禮、智根於心。」（〈盡心上〉）「羞惡之心，義也。……我固有之也。」（〈告子上〉）

義是羞惡之心，但羞惡或不羞惡是否還要依據某種判準呢？仁、義、禮、智四者當非各自獨立、互不相涉，因爲不論孔、孟都是以仁來統攝其他諸德，而且諸德之間互相關涉。因此我們似乎可以說，合於仁或惻隱之心的，是義，不必羞惡；不合仁或惻隱之心的，是不義，則當羞惡。其他禮、智或辭讓之心、是非之心可以類推。但當進一步追問，爲什麼「合於仁或惻隱之心的，是義，不必羞惡；不合仁或惻隱之心的，是不義，則當羞惡」這個判準可以成立呢？似乎再也找不到理由可說。也就是說，不能再找到一個判斷此判準應成立的更高一層的判準。

我們不能說合於仁或惻隱之心的，必對人有利，所以可視爲義，而不必羞惡。因爲如果以「利」爲更高的判準，那麼祇要有利的事，即使不擇手段去爭奪，也變成「義」了，這正是以利爲義。所以我們不能接受功利主義的道德論。

其次，我們也不能說合於仁或惻隱之心，是符合神的旨意，凡符合神的旨意的即是義，不必羞惡。因爲如果以「神意」爲更高的判準，所成立的是宗教道德，則非教徒並沒有理由非遵守不可。況且，有神論的宗教道德，總是他律的，無法成立自律的道德。以道德本身來說，他律道德乃以道德爲手段，以實現其他的目的。如果道德本身不是目的，道德便失去了內在價值。因此他律道德並非眞正的道德。所以我們不能接受神意道德論。

墨子主張「兼相愛，交相利」，正是一種功利論。他主張「順天意者，兼相愛，交相利，必得賞；反天意者，別相惡，交相賊，必得罰。」（《墨子．天志上》）則又是一種神意論。因此孟子必辯之。

再其次，我們也不能說合於仁或惻隱之心，是符合自然律。因爲自然界中多的是殘虐或弱肉强食之事，仁或惻隱之心顯然並不成爲自然律。即使說它是自然律，爲人所必須服從，則又是一種他律道德。

眞正的道德，是自律的道德。它不能作爲任何事物的手段，或依屬於任何事物，它必須以自身爲目的。孟子的「義」便是具有這種自律性的道德，所以他說：「今人乍見孺子將入於井，皆有怵惕惻隱之心，非所以內交於孺子之父母也，非所以要譽於鄉黨朋友也，非惡其聲而然也。」（《公孫丑上》）不爲任何理由而有惻隱之心，則惻隱之心從何而來？孟子以其爲人之本心或本性。所以「合於仁或惻隱之心的，是義」這個判準，是心性的自律，我們無法再爲它找到更高的判準。心性是眞正的自我，它爲自己定判準時，並不依於或服從於它以外的任何判準或理由，這才是眞正的自律。所以孟子主張「義內」。

也許有人會問，人的心性各別，古人與今人的心性也可能不同，心性爲自己定判準時，如何能夠有客觀性、普遍性與永恆性呢？豈不是流於一種自由心證，各人的心性各是其是、各非其非，又如何成立道德呢？要回答這樣的質問，必須先肯定性善說。因爲人心性本善，並無古今中外之別，而「心之官則思，思則得之。」（〈告子上〉）所以本心善性所定的判準，必有客觀性、普遍性與永恆性。至於因歷史、文化或地域的因素，造成道德表現的方式有古今中外之別，自是事實，但不能因此說道德本身有古今中外之別。譬如孝順的表現方式有古今中外之別，有其相對性，這是習俗道德；而孝順之爲道德，放諸四海而皆準，爲人子必須孝順，有其絕對性，這是超越習俗的理性道德。儒家講的道德不是習俗，而是理性道德自身。

此外，以儒家的「義」爲「義務」時，似乎帶有消極的、强制的、痛苦的味道。其實，孟子以義爲本性，則居仁由義是自我的實現，孟子稱之爲「踐形」，這是具有積極的、自由的、快樂的性質的。所以孟子說：「君子所性，仁、義、禮、智根於心。其生色也，睟然見於面，盎於背。施於四體，四體不言而喻。」又說：「萬物皆備於我矣，反身而誠，樂莫大焉。」（〈盡心上〉）因此，如果簡單地以西方的義務論來看儒家的「義」，還不能體現「義」的積極意義。

四、福德是否一致？

由義利之辨，可以引出一個問題，即合義的行爲是否必導致有利的結果，這就是所謂福德是否一致的問題。

儒家承認「有命」，以解釋有德者未必有福的現象。如伯牛有疾，孔子說：「亡之，命矣夫！斯人也而有斯疾也！」（〈雍也〉）孟子說：「孔子進以禮，退以義，得之不得曰：有命。」（〈萬章上〉）子夏說：「死生有命，富貴在天。」（〈顏淵〉）

但是儒家認爲福德也並非沒有一致的情形。如孔子說：「知者樂，仁者壽。」（〈雍也〉）又說：「學也，祿在其中矣。」（〈衞靈公〉）孟子說：「詩云：永言配命，自求多福。太甲曰：天作孽，猶可違；自作孽，不可活。」（〈公孫丑上〉）《中庸》更明說：「故大德必得其位，必得其祿，必得其名，必得其壽。……詩曰：嘉樂君子，憲憲令德，宜民宜人，受祿于天，保佑命之，自天申之。故大德必受命。」

《易經》也强調福德一致，如坤卦六二爻辭云：「直方大，不習无不利。」〈文言傳〉解釋說：「直，其正也；方，其義也。君子敬以直內，義以方外，敬義立而德不孤。直方大，不習无不利，則不疑其所行也。」這是說道德上的直方大，不由後天習得，卻無所不利，對所行也無任何疑慮。大有卦上九爻辭也說：「自天祐之，吉无不利。」〈繫辭傳〉解釋說：「子曰：祐者，助也。天之所助者，順也；人之所助者，信也。履信思乎順，又以尚賢也，是以自天祐之，吉无不利也。」這是說道德上的履信、思順、尚賢，必得天助而無所不利。

上述福德一致的說法與有德者未必有福的事實頗相矛盾。儒家是以福德一致爲常態；福德不一致爲異常。異常之事也可能發生，卻無理可說，故歸之於「命」。

《中庸》云：「君子素其位而行，不願乎其外。素富貴，行乎富貴；素貧賤，行乎貧賤；素夷狄，行乎夷狄；素患難，行乎患難；君子無入而不自得焉。……故君子居易以俟命，小人行險以僥幸。」福德不一致雖令人惋惜，但「君子居易以俟命」「無入而不自得」，其精神上的悅樂，正可轉煩惱爲菩提，即生死即涅槃。

因爲福德不一致，現實的世界不能盡如人意，「天地之大也，人猶有所憾。」（《中庸》）因此才須要人們共同努力，以參贊天地之化育。儒家不仰望上帝來保證福德的一致，而希望經由人類自己的奮鬥，以實現人間的正義與幸福。這種壯志弘願值得讚嘆！

論涵養

一、涵養的根據

在日常用語中，我們使用「涵養」一詞係指道德修養。宋儒程伊川有句名言：「涵養須用敬，進學則在致知。」（《宋元學案・伊川學案》）如果追溯宋儒重視涵養工夫的起源，應本之於孟子。

《論語》中「養」字只出現四次，見於下列三章中：

子曰：「今之孝者，是謂能養。至於犬馬，皆能有養。不敬，何以別乎？」（〈為政〉）

子謂子產：「有君子之道四焉：其行己也恭，其事上也敬，其養民也惠，其使民也義。」（〈公冶長〉）

子曰：「唯女子與小人為難養也。近之則不孫，遠之則怨。」（〈陽貨〉）

由這些章句中可以看出，「養」是指養父母、養犬馬、養民、養女子、小人等。《說文解字》云：「養，供養也。从食羊聲。」按「羊」代表美味，以美味供人食用，就是「養」的本義。廣義地說，「養」就是以所需之物供養人或生畜。可見孔子使用此字，是符合它原有的意義，他尚未把「養」字用在個人的自我道德修養上。

《孟子》中出現「養」字共五十九次，比《論語》多得多了。而其中含有道德修養意義的「養」字，不在少數，如：

「設為庠序學校以教之，庠者養也。……」（〈滕文公上〉）

「中也養不中，才也養不才……」（〈離婁下〉）

「以善養人，然後能服天下。……」（〈離婁下〉）

「……北宮黝之養勇也，……孟施舍之所養勇也，……我善養吾浩然之氣。……以直養而無害……」（〈公孫丑上〉）

「子路曰：『未同而言，觀其色赧赧然，非由之所知也。』由是觀之，則君子之所養，可知已矣。」（〈滕文公下〉）

「苟得其養，無物不長；苟失其養，無物不消。」（〈告子上〉）

「……至於身，而不知所以養之者，……」（〈告子〉）

「養其小者為小人；養其大者為大人。……為其養小以失大也。」（〈告子〉）

「存其心，養其性，所以事天也。」（〈盡心上〉）

「養心莫善於寡欲。」(〈盡心下〉)

以上章句中,除了前三章為教育意義的「養」外,其他如「養勇」、「養氣」、「養身」、「養性」、「養心」等,都有自我修養之義。孟子重視修養工夫之說明,由此可見。孔子雖然也重視道德修養,但他多是提出一些德目和具體的規範、作法,比較少系統地談修養的工夫或方法。我們讀孟子論知言、養氣,可以看出孟子是自覺地提出系統的修養方法,這對强調工夫的宋儒來說,尤其可貴。

不過孟子尚未使用「涵養」一詞,我們看上引孟子說「存其心,養其性」,則他的「涵養」可用「存養」一詞表示。

《論語》用「存」字只一見:「籩豆之事,則有司存。」(〈泰伯〉)這是曾子之語,其中並無道德含意。而《孟子》用「存」字二十三見,其中頗多具有道德的含意,如:

「人之所以異於禽獸者幾希,庶民去之,君子存之。」(〈離婁下〉)

「君子所以異於人者,以其存心也。君子以仁存心,以禮存心。」(〈離婁下〉)

「雖存乎人者，豈無仁義之心哉，……梏之反覆，則其夜氣不足以存。夜氣不足以存，則其違禽獸不遠矣。……故茍得其養，無物不長；茍失其養，無物不消。孔子曰：『操則存，舍則亡。出入無時，莫知其鄉。』惟心之謂與。」（〈告子上〉）

「養心莫善於寡欲。其為人也寡欲，雖有不存焉者，寡矣。其為人也多欲，雖有存焉者，寡矣。」（〈盡心下〉）

「夫君子所過者化，所存者神，上下與天地同流。」（〈盡心上〉）

「人之有德慧術知者，恆存乎疢疾。」（〈盡心上〉）

「君子之言也，不下帶而道存焉。」（〈盡心下〉）

「廣土眾民，君子欲之，所樂不存焉。中天下而立，定四海之民，君子樂之，所性不存焉。君子所性，雖大行不加焉，雖窮居不損焉，分定故也。君子所性，仁義禮智根於心。其生色也，睟然見於面，盎於背。施於四體，四體不言而喻。」（〈盡心上〉）

如果將上引這些章句予以會通，可以看出孟子主張在道德修養上，必須存仁義之心，這就是「存夜氣」「存神」「道存」。

孟子所以大量使用「存」「養」來講道德工夫，必不是偶然的現象。孟子主張人性本善，因此修養工夫只是就原有的善性予以存養而已。「存」表示實有於內之意；「養」表示使原有的繼續保存而且成長，以至於成熟。孟子用這樣的詞彙來說道德工夫，是把道德視爲生命中實有且本有之物，所以說「君子所性，仁義禮智根於心」；雖然本有，但仍有待於後天的培養，使它成長，所以說「操則存，舍則亡」。因此依孟子來說，涵養（存養）的根據是本心善性（仁義之心）。

二、涵養的兩面工夫：持志與養氣

因爲孟子主張性善，所以涵養即是存養。存養是順已有的善性來培養，所謂「直養而無害」。孟子自述其自我修養的方法見「知言養氣章」，這一章相當重要，現行的《中國文化基本教材》卻略而不選，令人不解。如果說此章太長，可是有些長的章又選了（如「論治道」中的一些章節）；如果說此章太難，其實以高中的程度，並非不能理解「浩然之氣」這類概念。現在將此章重要部分節錄如下：

公孫丑問曰：「夫子加齊之卿相，得行道焉，雖由此霸王不異矣。如此則動心否乎？」孟子曰：「否，我四十不動心。」曰：「若是，則夫子過孟賁遠矣。」曰：「是不難。告子先我不動心。」曰：「不動心有道乎？」曰：「有。北宮黝之養勇也，不膚撓，不目逃。思以一毫挫於人，若撻之於市朝。不受於褐寬博，亦不受於萬乘之君；視刺萬乘之君，若刺褐夫。無嚴諸侯；惡聲至，必反之。孟施舍之所養勇也，曰：『視不勝猶勝也。量敵而後進，慮勝而後會，是畏三軍者也。舍豈能為必勝哉？能無懼而已矣。』孟施舍似曾子，北宮黝似子夏。夫二子之勇，未知其孰賢，然而孟施舍守約也。昔者曾子謂子襄曰：『子好勇乎？吾曾聞大勇於夫子矣：自反而不縮，雖褐寬博，吾不惴焉？自反而縮，雖千萬人吾往矣。』孟施舍之守氣，又不如曾子之守約也。」曰：「敢問夫子之不動心，與告子之不動心，可得聞與？」「告子曰：『不得於言，勿求於心；不得於心，勿求於氣』不得於心，勿求於氣，可；不得於言，勿求於心，不可。夫志，氣之帥也；氣，體之充也。夫志，至焉；氣，次焉。故曰：『持其志，無暴其氣。』」「既曰『志至焉，氣次焉』，又曰『持其志，無暴其氣』者，何也？」曰：「志壹則動氣；氣壹則動志也。今夫蹶者趨者，是氣也，而反動其心。」「敢問夫子惡乎長？」曰：「我知言；我善養吾浩然之氣。」「敢問何謂浩然之氣？」曰：「難言也。其為氣也，至大至剛，以直養而無害，則塞于天地之間。其為氣也，配義與道，無是餒也。是集義所生者，非義襲而取之也。行有不慊於心，則餒矣。我故曰：『告子未嘗知義』，以其外之也。必有事焉，而勿正，心勿忘，勿助長也。無若宋人然：宋人有閔其苗之不長而揠之者，芒芒然歸，謂其人曰：『今日病矣，予助苗長矣。』其子趨而往視之，苗則槁矣。天下之不助苗長者寡矣。以為無益而舍之者，不耘苗者也。助之長者，揠苗者也；非徒無益，而又害之。」「何謂知言？」曰：「詖辭，知其所蔽；淫辭，知其所陷；邪辭，知其所離；遁辭，知其所窮。生於其心，害於其政；發於其政，害於其事。聖人復起，必從吾言矣。……」（〈公孫丑上〉）

在本章中，公孫丑問孟子有用世行道的機會，會不會「動心」？這個「動心」類似「動心忍性」（〈告子下〉）的「動心」。孟子回答說：「我四十不動心。」孟子的「不動心」近似孔子「四十而不惑」的境界。但如果只就「不動心」本身來說（未必是「不惑」），孟子認爲並不難，告子比他還先做到。

公孫丑進一步問「不動心」的方法。孟子就由「養勇」說起。北宮黝的養勇，是向外求爲必勝，不能忍受「一毫挫於人」。孟施舍的養勇，是向內求「能無懼」，不求必勝。因爲子夏偏於向外求博，所以北宮黝似子夏；而曾子向內自反，所以孟施舍似曾子。但孟施舍的向內求，仍只是守氣無懼而已，終不如曾子。曾子並非一味求無懼，他的懼不懼（惴）是依「自反」之「不縮」或「縮」（直）而定。換句話說，孟施舍的「守約」（守要）之法，只偏在守氣，仍不是徹底的守約；曾子的「自反」以求道德理性的直，理直自然氣壯，所以曾子並不守氣，而是循理，循理才是眞正的守約。

曾子的自反守約的工夫，可由《論語》得到印證。如曾子主張「吾日三省吾身」（〈學而〉）及「君子思不出其位」（〈憲問〉）；以孔子一貫之道是「忠恕而已矣」（〈里仁〉）；重視人的「自致」（〈子張〉）；稱許顏回「有若無，實若虛，犯而不校」（〈泰伯〉），因爲顏回自視內不足，有謙虛之德；批評子張「堂堂乎張也，難與並爲仁矣」（〈子張〉），因爲子張外有餘而內不足，有自滿之意。

在《孟子》中也有曾子守約的其他例證，如：曾子曰：「戒之！戒之！出乎爾者反乎爾者也。」（〈梁惠王下〉）「彼以其富，我以吾仁；彼以其爵，我以吾義，吾何慊乎哉！」（〈公孫丑下〉）

孟子說：「曾子、子思同道。」（〈離婁下〉）子思或其後學的思想在《中庸》中多少可以看到一些，如《中庸》說：「子曰：射有似乎君子，失諸正鵠，反求諸其身。」「故君子內省不疚，無惡於志。君子之所不可及者，其唯人之所不見乎！」「君子戒愼乎其所不睹，恐懼乎其所不聞，莫見乎隱，莫顯乎微，故君子愼其獨也。」《中庸》這樣強調反求、內省、愼獨的守約工夫，和曾子恐怕是一脈相傳的。由此也可以看出，曾子、子思、孟子三人在修養工夫上是同一路數的。所以後來荀子以子思、孟子爲一派，批評他們的思想是「幽隱而無說，閉約而無解」。（《荀子．非十二子》）荀子的批評雖懷有成見，但思孟學派思想的特色，也由此可見。

現在再回到孟子論不動心的原文。孟子說出孟施舍與曾子之異，目的是藉此申明告子與自己不同之處。告子與孟子的「不動心」，其實是有差別的。「不得於心，勿求於氣」是說當理不得於心時，也就是心不循理時，不求氣來助勢，以意氣用事，這是孟子同意的。不過，「不得於言，勿求於心」是說當理上說不通時，不反於心以求理之直（求循理），只是一味地不動心，這固然不難，卻是孟子所不能同意的。依此，告子仍近似孟施舍的守氣不動，不求循理；而孟子則似曾子能循理而不動。

循理的具體工夫，可以進一步分兩面來說，一是「持其志」，一是「無暴其氣」。孟子所謂「志」，是指「心志」；而「氣」，大體指與身心兩面都有關的綜合的「精神狀態」。《孟子》另外有三處提到「氣」，都可作「精神狀態」解。如「平旦之氣」「夜氣」（〈告子上〉）是指良心呈現時的精神狀態；「居移氣，養移體」（〈盡心上〉）是指所處的環境能改變人的精神狀態，所得的奉養能改變人的身體狀態。《論語》中用「氣」的地方有「屏氣」「食氣」（〈鄉黨〉）「血氣」（〈季氏〉）「辭氣」（〈泰伯〉），其中「屏氣」「食氣」偏於生理狀態；「血氣」「辭氣」則爲生理與心理綜合的精神狀態。「血氣」一詞也出現於《中庸》：「凡有血氣者，莫不尊親」。

《大學》則未見「氣」字。

孟子認爲人的心志和精神狀態是相互作用的。心志專一時，可以影響精神狀態；精神狀態趨於某種一致的强烈傾向時，也可以影響心志。所以修養工夫必須在志、氣兩方面雙管齊下，一方面操持心志（持其志），一方面調節精神狀態（無暴其氣）。孟施舍與告子只是守氣，勉强做到無暴其氣；但卻不知操持心志，使其循理。告子的不動心，只是守氣以制心不動；孟子不但守氣，更循理以持心不動，下文說「其爲氣也，配義與道」正是此意。

孟子自述修養工夫有二，一是「知言」，一是養「浩然之氣」。先來看浩然之氣。孟子所謂「浩然之氣」，是一種至大至剛而可以充塞整個宇宙的精神狀態或境界。涵養這種氣的方法，是讓心中的「義」不斷地滋長、充實，有了義與道的滋養，就會自然地生出浩然之氣來（是集義所生）。這浩然之氣不是靠表面上做些道義所能向外襲取的（非義襲而取之）。如果行爲不能滿足內心的道義，浩然之氣就會衰餒。這種涵養的工夫，要求在平日生活中具體而持久的道德實踐（必有事），不能企求速成。

關於修養的「勿忘，勿助長」，佛教中有一個例子可以作爲詮釋。

佛陀的比丘弟子中，有一位名叫「聞二百億」，他出家前原是個音樂家。出家後，聞二百億過著日中一食、樹下一宿的頭陀生活。在刻苦修行後，他的身體漸漸衰弱，以至難以支持。佛陀知道了，就對他說：「你彈琴時，如果絃太緊了，好嗎？」聞二百億回答道：「佛陀！琴絃太緊是會斷的。」「太鬆呢？」「那就發不出聲音了！」佛陀於是說：「修行也和彈琴一樣，太緊太鬆，都會出毛病呢！」（見星雲法師《釋迦牟尼佛傳》）

一個人的道德修養，不能有片刻鬆懈，但也不能過於緊迫，妄想一步登天，立刻成聖成賢。孟子說：「於不可已而已者，無所不已。於所厚者薄，無所不薄也。其進銳者，其退速。」（〈盡心上〉）「忘」即是「於不可已而已」；而「助長」之害在「其進銳者，其退速」。

其次談到「知言」。孟子的「知言」跟告子「不得於言，勿求於心」正好相反。孟子將一切言論，都放在心中謹愼思考，以求理之直。因此，他能由別人不正當的言論，逆推其心志狀態是否如理。於是，一切是非、邪正、義利之辨，都清清楚楚。

「知言」近似孔子的耳順。朱子釋「耳順」云：「聲入心通，無所違逆，知之之至，不思而得也。」「知言」就是對他人之言，聲入心通，清清楚楚。不過「耳順」恐怕不限於言，而是對一切聲，包括音樂與天籟，都聲入心通，而且是不思而得，比孟子「思則得之，不思則不得」（〈告子上〉），在境界上或許還高一層。

孟子的「知言」，是由「持其志」所得的修養；而「浩然之氣」，則是由「無暴其氣」進一步涵養的成果。前者是價值（理）的正確判斷；後者是精神（氣）的厚實涵養，合起來就是「寓理帥氣」。孟子的「不動心」正是由此而來。

此外，「持其志」「知言」和「養氣」的關係，也類似「明善」和「誠身」的關係。孟子

說：「悅親有道，反身不誠，不悅於親矣。誠身有道，不明乎善，不誠其身矣。」（〈離婁上〉）

三、涵養的第一步：反求諸己、先立其大

「持其志」是操持心志使其循理；「知言」是以理之直知人言之是非、人心之邪正；「無暴其氣」是調養精神使勿悖理橫行；「浩然之氣」是滋養心中的道義所生的精神境界。這些涵養都預設了「理」或「道義」。因爲孟子特別强調「義」是內不是外，所以涵養所根據的理或道義原在自心之內。換句話說，人的本心自性便是理、道義，更不可外求。因此，涵養的第一步便是「反求諸己」。聖人之中，如湯武仍須反求諸己才能成聖，所以說：「堯舜，性者也。湯武，反之也。」（〈盡心下〉）

曾子「自反」「守約」，與子思「反求諸其身」之義，已論如上文。孟子自己也有許多話申明此義，如：

「仁者如射；射者正己而後發；發而不中，不怨勝己者，反求諸己而已矣。」（〈公孫丑上〉）

「愛人不親，反其仁；治人不治，反其智；禮人不答，反其敬。行有不得者，皆反求諸己。其身正，而天下歸之。詩云，『永言配命，自求多福。』」（〈離婁上〉）

「有人於此，其待我以横逆，則君子必自反也：『我必不仁也，必無禮也；此物奚宜至哉！』其自反而仁矣，自反而有禮矣，其横逆由是也，君子必自反也：『我必不忠。』自反而忠矣，其横逆由是也，君子曰：『此亦妄人也已矣。如此則與禽獸奚擇哉？於禽獸又何難焉？』」（〈離婁下〉）

「仁，人心也。義，人路也。舍其路而弗由，於其心而不知求，哀哉！人有雞犬放，則知求之，有放心，而不知求。學問之道無他，求其放心而已矣。」（〈告子上〉）

「大人者，不失其赤子之心者也。」（〈離婁下〉）

「萬物皆備於我矣，反身而誠，樂莫大焉。強恕而行，求仁莫近焉。」（〈盡心上〉）

反求的工夫是涵養的開始，但這並不表示孟子忽略「博學」的重要。修養不能沒有學問作基

礎，但博學的目的是在反求守約。所以孟子說：「博學而詳說之，將以反說約也。」（〈離婁下〉）

「反求諸己」用現代的話來說，即是由感性的經驗層，向內向上反轉於理性的超越層。也就是由屬於耳目口腹等形軀的小體，返於本心道德理性的大體，讓理性作感性的主宰，以理性的心志來帥氣（「夫志，氣之帥也」），即是「無以小害大」「先立乎其大者，則其小者弗能奪也」。孟子以下兩段話正是申明此義：

孟子曰：「人之於身也，兼所愛；兼所愛，則兼所養也。無尺寸之膚不愛焉，則無尺寸之膚不養也。所以考其善不善者，豈有他哉？於己取之而已矣。體有貴賤，有小大。無以小害大，無以賤害貴。養其小者為小人。養其大者為大人。今有場師，舍其梧檟，養其樲棘，則為賤場師焉。養其一指，而失其肩背，而不知也，則為狼疾人也。飲食之人，則人賤之矣，為其養小以失大也。飲食之人，無有失也，則口腹豈適為尺寸之膚哉？」（〈告子上〉）

公都子問曰：「鈞是人也，或為大人，或為小人，何也？」孟子曰：「從其大體為大人，從其小體為小人。」曰：「鈞是人也，或從其大體，或從其小體，何也？」曰：「耳目之官不思，而蔽於物。物交物，則引之而已矣。心之官則思，思則得之，不思則不得也。此天之所與我者，先立乎其大者，則其小者弗能奪也。此為大人而已矣。」（〈告子上〉）

明白「體有貴賤，有小大」，這是心的功能（思）。反求諸己、先立其大，即是要恢復這種功能。失去這種功能，便是「失其本心」（〈告子上〉），而近於禽獸。分別貴賤、大小，這也是所謂「義利之辨」。人的道德羞恥心，從此開始。孟子曰：「羞惡之心，義也。」（〈告子上〉）就道德實踐來看，羞恥正是人與禽獸不同的關鍵，所以孟子說：「人不可以無恥。無恥之恥，無恥矣。」（〈盡心上〉）「恥之於人大矣。爲機變之巧者，無所用恥焉。不恥不若人，何若人有？」（〈盡心上〉）人爲了求富貴利達，而盡做些不可告人的無恥之事，如同有一妻一妾的齊人，則「其妻妾不羞也，而不相泣者，幾希矣。」（〈離婁下〉）

「先立其大」也就是先立仁義之志。王子墊問：「士何事？」孟子說：「尚志。」曰：「何謂尚志？」孟子說：「仁義而已矣。殺一無罪，非仁也；非其有而取之，非義也。居惡在？仁是也；路惡在？義是也。居仁由義，大人之事備矣。」（〈盡心上〉）

反求諸己、先立其大，是立志、明善之事，這是持志、養氣、誠身或存心、養性之前的工夫，所以是涵養的第一步。

四、涵養的第二步：存養心性

能夠反求諸己、先立其大，進一步便是存養此本心善性的工夫。孟子說：「君子所以異於人者，以其存心也。君子以仁存心，以禮存心。」（〈離婁下〉）因此，存養的內容是仁、禮等本心善性。

至於如何存養，除了上文所論的「持志」「養氣」之外，孟子又提出「寡欲」之說，他說：「養心莫善於寡欲。其爲人也寡欲，雖有不存焉者，寡矣。其爲人也多欲，雖有存焉者，寡矣。」（〈盡心下〉）對於多欲的害處，孟子說：「飢者甘食，渴者甘飮，是未得飮食之正也，飢渴害之也。豈惟口腹有飢渴之害？人心亦有害。人能無以飢渴之害爲心害，則不及人爲憂矣。」（〈盡心上〉）

「寡欲」表現在具體的德行上，便是「廉恥」。孟子說：「無爲其所不爲，無欲其所不欲，如此而已矣。」（〈盡心上〉）「無爲其所不爲」是知恥，這是知恥的消極面。孟子說：「人有不爲也，而後可以有爲。」（〈離婁下〉）這是知恥的積極面，同於孔子所謂：「知恥近乎勇」（《中庸》）。「無欲其所不欲」是守廉。孟子又說：「可以取，可以無取，取，傷廉。」（〈離婁下〉）

由於對廉恥的重視，《孟子》一書中關於辭受、進退、出處、生死之道，有許多精細的討論。這是「義利之辨」落實在具體生活情境時，所必須有的思考。不過，爲免篇幅過長，在此就不一一闡述了。

由於寡欲知恥，可以成爲眞正的君子，所謂：「富貴不能淫，貧賤不能移，威武不能屈：此之謂大丈夫。」（〈滕文公下〉）

善性人人都有，因此不可自暴自棄，孟子說：「自暴者，不可與有言也；自棄者，不可與有爲也。言非禮義，謂之自暴也；吾身不能居仁由義，謂之自棄也。仁，人之安宅也；義，人之正路也。曠安宅而弗居，舍正路而不由，哀哉！」（〈離婁上〉）只要能潔身自愛、改過自新，人人都可以走上正路，所以孟子說：「西子蒙不潔，則人皆掩鼻而過之。雖有惡人，齊戒沐浴，則可以祀上帝。」（〈離婁下〉）

所存養的本性，固然人人具足，但存養的過程，仍須別人的協助。所以孟子說：「中也養不中，才也養不才，故人樂有賢父兄也。如中也棄不中，才也棄不才，則賢不肖之相去，其間不能以寸。」（〈離婁下〉）即使聖明如舜或禹，仍要「取於人以爲善」。孟子說：「禹聞善言而拜。大舜有大焉，善與人同，舍己從人，樂取於人以爲善。自耕、稼、陶、漁，以至爲帝，無非取於人者。」（〈公孫丑上〉）

君子雖非聖人，仍應取法乎上，取於聖人以爲善，以聖人爲榜樣，努力於存養。孟子說：

「君子有終身之憂，無一朝之患也。乃若所憂則有之。舜人也，我亦人也；舜爲法於天下，可傳於後世，我由未免爲鄉人也，是則可憂也。憂之如何？如舜而已矣。若夫君子所患則亡矣。非仁無爲也，非禮無行也。如有一朝之患，則君子不患矣。」（〈離婁下〉）

五、涵養的第三步：擴充四端

「存養心性」是養仁、義、禮、智四端，以此四者存心；而「擴充四端」是將這心性實現在一層層的倫理關係、社會生活與政治事業中。這是使四端實現的範圍不斷地擴大。由「獨善其身」以至「兼善天下」（〈盡心上〉）。所以孟子說：「凡有四端於我者，知皆擴而充之矣，若火之始然，泉之始達。苟能充之，足以保四海；苟不充之，不足以事父母。」（〈公孫丑上〉）

「擴充四端」也是將心性已實現之部分，擴大到未實現之部分，使四端實現的內涵不斷地擴大。所以孟子說：「人皆有所不忍，達之於其所忍，仁也。人皆有所不爲，達之於其所爲，義也。人能充『無欲害人』之心，而仁不可勝用也。人能充『無穿窬』之心，而義不可勝用也。人能充『無受爾汝』之實，無所往而不爲義也。」（〈盡心下〉）

人在擴充四端時，德性不斷地成長，終至圓熟，這便是成聖的歷程。到達聖人的境界，則仁義不可勝用，也無所往而非仁義了。這正是孔子「七十而從心所欲不踰矩」的境界。一旦內聖已成，而外王便在其中，所以說「足以保四海」。不過，這是就主觀條件說；如果就客觀條件說，現實中的聖人當然不一定有機會成就外王的事業。

六、涵養與立命

內聖的涵養，成之在己，可以必得，這裡可以看出人的無限性；而外王的事業，不是一個人可以完成的，不可必得，這又顯出人的有限性了。所以孔子也不免說：「道之將行也與？命也。道之將廢也與？命也。」（〈憲問〉）承認有「命」，並非主張宿命論，而是承認人的有限性。人主觀的努力，有時受制於客觀的條件，而不能成就客觀的事業，無以名之，就說爲「命」。如果是宿命論者根本就放棄努力了，而孔子不同，他還要「知其不可而爲之」（〈憲問〉）。

君子與小人的不同，乃在「君子居易以俟命，小人行險以徼幸」（《中庸》）。所以孔子說：「不知命，無以爲君子也。」（〈堯曰〉）由此可見，「知命」和君子的涵養有密切的關係。

孟子說：「求則得之，舍則失之，是求有益於得也，求在我者也。求之有道，得之有命，是求無益於得也，求在外者也。」（〈盡心上〉）只有爲學涵養之事，可以求則得之；其餘的事都是「求之有道，得之有命」。在「命」上，人無法致力，所以孟子說：「莫之爲而爲者，天也；莫之致而至者，命也。」（〈萬章上〉）

對於命，君子可以做的是「知命」「正命」「配命」「俟命」「立命」，孟子說：

「莫非命也，順受其正。是故知命者，不立乎巖牆之下。盡其道而死者，正命也。桎梏死者，非正命也。」（〈盡心上〉）

「詩云：『永言配命，自求多福。』太甲曰：『天作孽，猶可違；自作孽，不可活。』此之謂也。」（〈公孫丑上〉）

「君子行法，以俟命而已矣。」（〈盡心下〉）

「盡其心者，知其性也。知其性，則知天矣。存其心，養其性，所以事天也。殀壽不貳，脩身以俟之，所以立命也。」（〈盡心上〉）

君子所能做的，是盡心知性、存心養性的修身之事；而殀壽之事只能「俟之」。這種態度即是「正命」「立命」。

不過，「命」對人來說不只有消極的限制作用，也有積極的裁成作用，所以孟子說：「人之有德慧術知者，恆存乎疢疾。獨孤臣孽子，其操心也危，其慮患也深，故達。」（〈盡心上〉）君子藉著「命」的錘鍊，使自己的心性涵養更爲精純，則立命的工夫正是一種最得力的涵養呢！孟子下面一段話說得眞是擲地有聲，精彩極了：

「孫叔敖舉於海，百里奚舉於市。故天將降大任於是人也，必先苦其心志，勞其筋骨，餓其體膚，空乏其身，行拂亂其所為，所以動心忍性，曾益其所不能。人恆過，然後能改。困於心，衡於慮，而後作。徵於色，發於聲，而後喻。入則無法家拂士，出則無敵國外患者，國恆亡。然後知生於憂患，而死於安樂也。」（〈告子下〉）

這段話也可視爲孟子的自況。人在逆境中，心慮難免悚動、困苦而有所阻塞（衡），然而君子持志養氣，終能堅忍氣性而不動心，發出道德行爲（而後作），能其所不能，使本心善性生色睟面，四體不言而喻，成爲法度之世臣、輔弼之賢士，堪受大任，以克服敵國外患。所以安樂的順境，使人趨向滅亡，憂患的厄運，反而成熟人的德性，躋人生於聖域，「命」之時義大矣哉！

論教學

一、教育之目的與功能

孟子的教育思想是繼承孔子而發展。他以性善說為理論基礎，以「人皆可以為堯舜」為教育最高目標。這是以道德教育為中心的教育。

孟子認為教育是政治的最重要憑藉，孟子說：「上無禮，下無學，賊民興，喪無日矣。」（〈離婁上〉）完善的政治還不如完善的教育得民心，所以孟子說：

「仁言，不如仁聲之入人深也。善政，不如善教之得民也。善政民畏之；善教民愛之。善政得民財；善教得民心。」（〈盡心上〉）

以「善教得民心」，才能「以德服人」而王天下，這是儒家政治的最高理想。以道德教人民，是伊尹所謂：「使先知覺後知，使先覺覺後覺。……以此道覺此民也。」（〈萬章下〉）而教育的主要目的，其實就是爲了教人民道德，所謂「明人倫」，因此孟子說：

「設為庠序學校以教之。庠者，養也；校者，教也；序者，射也。夏曰校，殷曰序，周曰庠，學則三代共之。皆所以明人倫也。人倫明於上，小民親於下。」（〈滕文公上〉）

「人之有道也，飽食煖衣，逸居而無教，則近於禽獸。聖人有憂之，使契為司徒，教以人倫：父子有親，君臣有義，夫婦有別，長幼有序，朋友有信。」（〈滕文公上〉）

政治與教育的共同目的，即是使「民日遷善」（〈盡心上〉）。從事政治或教育者的功能在「所過者化，所存者神，上下與天地同流，豈曰小補之哉？」（〈盡心上〉）而教化能及於百世的，可稱是「百世之師」（〈盡心下〉）的聖人了。

孟子雖以人性本善，有「良知」「良能」，但人仍可以爲不善，所以必須教育。即使是聖人如舜也要接受教育，孟子說：

「舜之居深山之中，與木石居，與鹿豕遊，其所以異於深山之野人者幾希。及其聞一

善言，見一善行，若決江河，沛然莫之能禦也。」（〈盡心上〉）

舜的「聞一善言，見一善行」就是接受教育。天資美好，如果不接受教養，還不如天資雖差卻能自我惕勵的人。對此，孟子有一段生動的比喻：

「西子蒙不潔，則人皆掩鼻而過之。雖有惡人，齋戒沐浴，則可以祀上帝。」（〈離婁下〉）

此外，孟子也承繼孔子「先富後教」的思想，認為必先使人民「樂歲終身飽，凶年免於死亡」（〈梁惠王上〉），才有餘暇接受道德教化。

二、教與學的基本原則

「教」與「學」是教育活動的一體兩面，它們之間有些共同的基本原則，很難完全分開。這些原則不僅老師在教學時必須隨時注意，學生在學習時也必須充分掌握。孟子基於性善說的教學原則，一方面强調學習的內在條件，即本心的自覺自勵；一方面也重視教學的外在條件，即環境的適當配合。教學的主客觀條件都具足了，教學活動必然事半功倍。以下分別說明：

㈠先立本心原則

人性本善，此善性就是人的本心，學生接受教育，先須確立本心，勿使喪失，一旦放失本心，即當求之。所以孟子說：「先立乎其大者，則其小者不能奪也。」「學問之道無他，求其放心而已矣。」（〈告子上〉）本心即仁義之心，「先立其大」即要求學生在為學之前先明「義利之辨」。讀書為學是為了自覺覺他、己立立人，不是單為了考試、成績、升學、謀個人的利益。有一次孟子即糾正樂正子，認為他的求學祇是為了「餔啜」，孟子對他說：「子之從於子敖來，徒餔啜也。我不意子學古之道，而以餔啜也。」（〈離婁上〉）孟子認為求學的動機純正，才能無怨無悔、不捨晝夜地一心向學，而不會半途而廢。仁義的本心才是為學修德的眞正動力和原泉，所以孟子說：「原泉混混，不舍晝夜，盈科而後進，放乎四海；有本者如是。」（〈離婁下〉）

㈡自動原則

確立本心之後，自有崇高的理想，作為努力的目標，於是立定志向，奮力向理想前進，這樣才能自動地學習。理想如木匠之規矩或繩墨，目標如射箭之彀，儒家的理想目標是仁義。王子墊問曰：「士何事？」孟子曰：「尚志。」曰：「何謂尚志？」曰：「仁義而已矣。」（〈盡心

上〉）

朝理想努力的關鍵在自己。理想不能實現，在於自己「不爲」而非「不能」。所以教師必須幫助和鼓勵學生「自求」「自任」「自得」，不可「自暴」「自棄」。孟子說：

「夫道若大路然，豈難知哉！人病不求耳。子歸而求之，有餘師。」（〈告子下〉）

「人病舍其田而芸人之田。所求於人者重，而所以自任者輕。」（〈盡心〉）

「君子深造之以道，欲其自得之也。自得之，則居之安；居之安，則資之深；資之深，則取之左右逢其原。故君子欲其自得之也。」（〈離婁下〉）

「放勳曰：『勞之、來之、匡之、直之、輔之、翼之、使自得之；又從而振德之。』」（〈滕文公上〉）

「自暴者，不可與有言也；自棄者，不可與有為也。言非禮義，謂之自暴也；吾身不能居仁由義，謂之自棄也。」（〈離婁上〉）

有了理想與志向後，必須專心致志，持恆地努力，精進熟練以達到目標爲止。學習之事不能一暴十寒，或耽溺於幻想中「以爲有鴻鵠將至」。孟子說：

㈢有恆、專注與精熟原則

「無或乎王之不智也。雖有天下易生之物也，一日暴之，十日寒之，未有能生者也。吾見亦罕矣，吾退而寒之者至矣。吾如有萌焉何哉！今夫弈之為數，小數也，不專心致志，則不得也。弈秋，通國之善弈者也。使弈秋誨二人弈：其一人專心致志，惟弈秋之為聽；一人雖聽之，一心以為有鴻鵠將至，思援弓繳而射之，雖與之俱學，弗若之矣。為是其智弗若與？曰：非然也。」（〈告子上〉）

經由不斷地努力，才能使所學由熟生巧，如掘井及泉，斐然成章。任何學習都有其學習所要達到的目標或標準，孟子稱之爲「規矩」，能到達目標（孟子稱之爲「及泉」「成章」或「熟」），才可能「巧」。孟子說：

「羿之教人射，必志於彀；學者亦必志於彀。大匠誨人，必以規矩；學者亦必以規

矩。」（〈告子上〉）

「大匠不為拙工改廢繩墨；羿不為拙射變其彀率。君子引而不發，躍如也。中道而立，能者從之。」（〈盡心上〉）

「離婁之明，公輸子之巧，不以規矩，不能成方員；師曠之聰，不以六律，不能正五音。」（〈離婁上〉）

「梓匠輪輿，能與人規矩，不能使人巧。」（〈盡心下〉）

「有為者，辟若掘井。掘井九軔而不及泉，猶為棄井也。」（〈盡心上〉）

「流水之為物，不盈科不行；君子之志於道也，不成章不達。」（〈盡心上〉）

「五穀者，種之美者也。苟為不熟，不如荑稗。夫仁，亦在乎熟之而已矣。」（〈告子上〉）

如果學習到達精熟的地步，便能：「居之安，則資之深；資之深，則取之左右逢其原。」（〈離婁下〉）

㈣知行合一原則

理想屬於知；朝理想去努力與實踐，則是行。孟子說：「智，譬則巧也；聖，譬則力也；由射於百步之外也；其至，爾力也；其中，非爾力也。」（《孟子．萬章下》）成聖必須知道理想，又須努力以赴。譬如射箭，能對準目標是智巧之事，能到達目標是力行之功，二者缺一不可，此即知行合一。知而不行，所學必至荒廢無用，孟子說：「山徑之蹊間，介然用之而成路；為間不用，則茅塞之矣。」（〈盡心下〉）

㈤先博後約原則

孟子論學雖然主張「先立其大」，重視人的「良知」「良能」，但並非反對「博學」。他舉舜為例說：「舜明於庶物，察於人倫。」（〈離婁下〉）不過「博學」並非求無所不知，孟子說：「知者無不知也，當務之為急。……堯舜之知而不遍物，急先務也。」（〈盡心上〉）教育的過程，應先求博再守約，終能使學生守約而施博。所以孟子說：「博學而詳說之，將

以反說約也。」(〈離婁下〉)又說:「守約而施博者,善道也。」(〈盡心下〉)

(六)循序漸進原則

學習必須依學生自然的身心條件和程度,循序漸進,不能間斷,也不能求速成。孟子說:「必有事焉,而勿正,心勿忘,勿助長也。……以為無益而舍之者,不耘苗者也。助之長者,揠苗者也;非徒無益,而又害之。」(〈公孫丑上〉)又說:「其進銳者,其退速。」(〈盡心上〉)孟子認為學習應如流水「盈科而後進」(〈離婁下〉)。

(七)客觀原則

孟子曾提醒「說詩者」「不以文害辭,不以辭害志;以意逆志,是為得之」(〈萬章上〉)。這是要求說詩時,必須細心深入地揣摩作者的原意,力求客觀,不能只憑文辭表面的意思來隨便敷衍。其實這同樣是學習者所應有的客觀態度,孟子又說:「盡信書,則不如無書。吾於武成,取二三策而已矣。」(〈盡心下〉)這也是一種客觀原則的運用。

(八)環境原則

人性雖本善,但仍須後天環境條件的配合,才能獲得良好的栽培與長成。孟子說:「居移氣，養移體，大哉居乎！」（〈盡心上〉）孟子相當重視環境因素對教育負面和正面的影響。在負面的影響方面，孟子說：「富歲，子弟多賴；凶歲，子弟多暴。非天之降才爾殊也，其所以陷溺其心者然也。」（〈告子上〉）又說：「一齊人傅之，衆楚人咻之，雖日撻而求其齊也，不可得矣。」（〈滕文公下〉）在正面的影響方面，孟子說：「子謂薛居州，善士也，使之居於王所。在於王所者，長幼卑尊皆薛居州也，王誰與爲不善？」（〈滕文公下〉）因此孟子教學生要「友善士」，甚至「尚友」古人（〈萬章下〉）。而惡劣的環境，也可磨鍊人的心志，「曾益其所不能」，因此說：「生於憂患，而死於安樂。」（〈告子下〉）又說：「人之有德慧術知者，恆存乎疢疾。獨孤臣孽子，其操心也危，其慮患也深，故達。」（〈盡心上〉）

三、爲師之道

孟子以「得天下英才而教育之」（〈盡心上〉）爲君子之樂，他自稱設科收學生是「來者不拒」（〈盡心下〉），頗有孔子「有教無類」的精神。但他也特別告誡爲人師者說：「人之患，在好爲人師。」「人之易其言也，無責耳矣。」（〈離婁上〉）這是說爲人師的人，教學必須有責任感，不能隨便說話，以免誤人子弟。

在家庭教育方面，孟子要求父兄負起教育的責任，所謂「中也養不中，才也養不才」（〈離婁下〉）。但他認爲應「易子而教」，以免父子間因「責善」而「離」（〈離婁上〉）。

孟子也注意到學生的個別差異。爲了適應個別差異，對教育目標的設定與學生成就的要求便有所不同。他說：「君子之所以教者五：有如時雨化之者，有成德者，有達財者，有問答者，有私淑艾者。此五者，君子之所以教也。」（〈盡心上〉）

在某些情況下，老師對學生的發問也可以不回答，孟子說：「挾貴而問，挾賢而問，挾長而問，挾有勳勞而問，挾故而問，皆所不答也。」（〈盡心上〉）這就是所謂：「教亦多術矣。予不屑之教誨也者，是亦教誨之而已矣。」（〈告子下〉）

孟子自己的教學方法、技巧與孔子大體相近，比較特別的是他常用辯論的方式，闡明自己的思想，如與告子論性，與陳相論許行的農家思想。他也偶而用寓言故事的方式，諷喻人生，如「齊人有一妻一妾」章。孟子擅長用巧妙的比喻及假設的事例，層層批駁，環環緊扣，令人無可遁匿，終至辭窮。孟子的博學和機智，使論辯意趣橫生，高潮迭起。以下我們選一篇較短的論辯爲例，在這段孟子和弟子彭更的對話中，孟子的無礙辯才，可見一斑：

彭更問曰：「後車數十乘，從者數百人，以傳食於諸侯，不以泰乎？」

孟子曰：「非其道，則一簞食不可受於人。如其道，則舜受堯之天下，不以為泰；子以為泰乎？」

曰：「否。士無事而食，不可也。」

曰：「子不通功易事，以羨補不足，則農有餘粟，女有餘布。子如通之，則梓匠輪輿皆得食於子。於此有人焉，入則孝，出則悌，守先王之道，以待後之學者，而不得食於子。子何尊梓匠輪輿而輕為仁義者哉？」

曰：「梓匠輪輿，其志將以求食也。君子之為道也，其志亦將以求食與？」

曰：「子何以其志為哉？其有功於子，可食而食之矣。且子食志乎？食功乎？」

曰：「食志。」

曰：「有人於此，毀瓦畫墁，其志將以求食也，則子食之乎？」

曰：「否。」

曰：「然則子非食志也，食功也。」（〈滕文公下〉）

由以上的對話，也可以看出孟子對自己日常的言行思想，是這樣的深思熟慮，以致可以面對一切問難，而沛然莫之能禦。而這也正是一切偉大的教師所共具的人格特徵呢！

論治道

一、仁者無敵

孟子思想的重心是在論治道，《孟子》七篇的首篇〈梁惠王〉幾乎通篇都是論爲政之道。在政治思想方面，孟子和孔子有一些明顯的不同。《論語》中，孔子論政未曾提到平天下或王天下的思想。可是到了戰國，許多諸侯都有統一天下的野心，孟子遊說諸侯時，不得不談論如何平天下之理。如孟子去見梁惠王的兒子梁襄王，梁襄王一見面就問他如何平定天下：

孟子見梁襄王。出，語人曰：「望之不似人君，就之而不見所畏焉。卒然問曰：『天下惡乎定。』吾對曰：『定于一。』『孰能一之？』對曰：『不嗜殺人者能一之。』」（〈梁惠王上〉）

「不嗜殺人」的諸侯就可平定天下，是因爲這樣的國君有「不忍人之心」。孟子說：「人皆有不忍人之心。先王有不忍人之心，斯有不忍人之政矣。以不忍人之心，行不忍人之政，治天下可運之掌上。」（〈公孫丑上〉）「不忍人之政」即是仁政。孔子論仁，多就個人修養來說；孟子則擴大地就政治說，他曾爲梁惠王描繪出一個「仁政」的簡單藍圖，並且斷言「仁者無敵」：

「地方百里，而可以王。王如施仁政於民，省刑罰，薄稅斂，深耕易耨；壯者以暇日修其孝悌忠信，入以事其父兄，出以事其長上，可使制梃以撻秦楚之堅甲利兵矣。彼奪其民時，使不得耕耨，以養其父母；父母凍餓，兄弟妻子離散。彼陷溺其民，王往而征之，夫誰與王敵？故曰：『仁者無敵。』」（〈梁惠王上〉）

「仁者無敵」是因爲仁者行王道，得道者多助，得「人和」，因此以仁征不仁，戰無不勝，孟子說：

「天時不如地利，地利不如人和。三里之城，七里之郭，環而攻之而不勝；夫環而攻之，必有得天時者矣，然而不勝者，是天時不如地利也。城非不高也，池非不深也，兵革非不堅利也，米粟非不多也，委而去之，是地利不如人和也。故曰，域民不以封疆之界，固國不以山谿之險，威天下不以兵革之利。得道者多助，失道者寡助。寡助之至，親戚畔之；多助之至，天下順之。以天下之所順，攻親戚之所畔，故君子有不戰，戰必勝矣。」（〈公孫丑下〉）

仁者的成功，並不是因爲他智慧過人或武力强大，而是時勢使然，孟子說：「齊人有言曰：『雖有智慧，不如乘勢；雖有鎡基，不如待時。』今時則易然也。」（〈公孫丑上〉）

孟子的仁政包括了司法（省刑罰）、財政（薄稅斂）、農業（深耕易耨）、教育（修其孝悌忠信）、國防（制梃以撻秦楚之堅甲利兵）等方面。除此之外，孟子還勸國君「推恩足以保四海，不推恩無以保妻子」（〈梁惠王上〉），要國君「尊賢使能」（〈公孫丑上〉）、「制民之產」（〈梁惠王上〉）、「與民同樂」（〈梁惠王下〉），不可「率獸而食人」（〈梁惠王上〉）。孟子說：「仁政必自經界始」（〈滕文公上〉）因爲「經界不正，井地不均，穀祿不平」。可見他主張正經界以平均地權、泯除貧富差距。

孟子雖然强調農業生產，卻反對「賢者與民並耕而食」（〈滕文公上〉）的農家思想，認爲「有大人之事，有小人之事」「或勞心，或勞力」。社會應有分工，但非階級對立。他也反對許行「市賈不貳」（商品價格的統一）的政策。

孟子不僅重視生產問題，而且還注意到自然資源的保護與有計畫的使用，如：

「不違農時，穀不可勝食也；數罟不入洿池，魚鱉不可勝食也；斧斤以時入山林，材木不可勝用也。穀與魚鱉不可勝食，材木不可勝用，是使民養生喪死無憾也。養生喪死無憾，王道之始也。」（〈梁惠王上〉）

孟子向各國極力推薦仁政，他甚至保證說：「諸侯有行文王之政者，七年之內，必爲政於天下矣。」（〈離婁上〉）在他看來，「仁者無敵」是確無可疑的，所謂：「仁之勝不仁也，猶水勝火。」（〈告子上〉）而當時的國君稍行仁政便急求速效，一旦見不到眼前的功效，就對仁政失去信心，終致覆亡。孟子說：「今之爲仁者，猶以一杯水救一車薪之火也。不熄，則謂之水不勝火。此又與於不仁之甚者也，亦終必亡而已矣。」所以，並不是仁政無效，而是爲政者不能信心堅定、貫徹始終地施行仁政。孟子說：「書曰：『若藥不瞑眩，厥疾不瘳。』」（〈滕文公上〉）在孟子看來，仁政不僅有效，並且是對治時代沈痾的強烈特效藥，雖然服此藥會引起暫時的頭昏。

二、善人、善政與善教

由「不忍人之心」，即有「不忍人之政」，爲政的關鍵在「心」。因此孟子說：「惟大人爲能格君心之非。君仁莫不仁，君義莫不義，君正莫不正，一正君而國定矣。」（〈離婁上〉）這段話和《大學》主張由誠意、正心而治國、平天下的思想極爲相似。這是儒家一貫的德治思想，强調善人是善政的必要條件。不過，孟子固然重視統治者本身的道德條件，也重視施政的正確法度。所以他說：

「離婁之明，公輸子之巧，不以規矩，不能成方員。師曠之聰，不以六律，不能正五音。堯舜之道，不以仁政，不能平治天下。今有仁心仁聞，而民不被其澤，不可法於後世者，不行先王之道也。故曰：『徒善不足以為政，徒法不足以自行。』詩云：『不愆不忘，率由舊章。』遵先王之法而過者，未之有也。……故曰：『為高必因丘陵，為下必因川澤。』為政不因先王之道，可謂智乎？」（〈離婁上〉）

仁政之法不能自己運作，必須有仁心的人去實施它（徒法不足以自行）；反過來說，只有仁心卻不依法施政，則仁政也不能實現（徒善不足以為政）。所謂仁政，並不是指國君有仁德就可以了，必須教養人民也有仁德。孟子說：「以善服人者，未有能服人者也。以善養人然後能服天下。天下不心服而王者，未之有也。」（〈離婁下〉）這也就是指出，治國之道不在要求人民服從有道德的國君，而在教養人民有道德。孟子認為完善的教育比完善的政治更重要。所以他說：「仁言，不如仁聲之入人深也。善政，不如善教之得民也。善政民畏之；善教民愛之。善政得民財；善教得民心。」（〈盡心上〉）

三、王霸之分

上文所引「善政民畏之；善教民愛之。善政得民財；善教得民心。」其實就已指出王霸之分了。孟子說：

「堯舜，性之也，湯武，身之也；五霸，假之也。久假而不歸，惡知其非有也？」（〈盡心上〉）

在這裡孟子將為政者分成三類：堯舜代表政治的最高理想，因為他們的仁政是基於本性的自然，毫不勉强；湯武勉力施行王道，他們成就也很高，也能實現如堯舜的仁政；而五霸只是假借仁義之名，以圖謀一己之利罷了。堯舜不易學，能學到三王之政也很不錯了，所以孟子多勉勵諸侯行王道，並對「王」與「霸」作明確的區分。孟子說：

「以力假仁者霸，霸必有大國；以德行仁者王，王不待大：湯以七十里，文王以百里。以力服人者，非心服也，力不贍也；以德服人者，中心悅而誠服也，如七十子之服孔子也。詩云：『自西自東，自南自北，無思不服。』此之謂也。」（〈公孫丑上〉）

「以佚道使民，雖勞不怨。以生道殺民，雖死不怨殺者。」孟子曰：「霸者之民，驩虞如也，王者之民，皞皞如也。殺之而不怨，利之而不庸，民日遷善而不知為之者。夫君子所過者化，所存者神，上下與天地同流，豈曰小補之哉？」（〈盡心上〉）

由此可知「王」是以德服人，國不必大，王者的人民浩然自得，日遷善而不知王者之功，神化至極；而「霸」是以力服人，必有大國，霸者的人民衣食無缺，也很歡樂，但未必能遷善。什麼是「王道」？王道係以天下人民的憂樂為憂樂，所以孟子說：「樂民之樂者，民亦樂其樂；憂民之憂者，民亦憂其憂。樂以天下，憂以天下，然而不王者，未之有也。」（〈梁惠王下〉）王道以三王爲代表；霸道以五霸爲代表，孟子說：

「五霸者，三王之罪人也。……天子討而不伐，諸侯伐而不討。五霸者，摟諸侯以伐諸侯者也。」（〈告子下〉）

按「討」是上討下，天子因諸侯有罪而出師征討之；「伐」是諸侯奉天子之命而攻伐有罪的諸侯。而春秋五霸卻爲自己之利假借仁義，脅迫諸侯以攻伐其他諸侯。春秋時諸侯所掀起的戰爭都屬此類，所以孟子說：

「君不行仁政而富之，皆棄於孔子者也。況於為之強戰，爭地以戰，殺人盈野，爭城以戰，殺人盈城，此所謂率土地而食人肉，罪不容於死。故善戰者服上刑，連諸侯者次之，辟草萊、任土地者次之。」（〈離婁上〉）

「春秋無義戰，彼善於此，則有之矣。征者，上伐下也，敵國不相征也。」（〈盡心下〉）

五霸以諸侯而僭行天子征討之事，因此說是「三王之罪人」。戰國時代諸侯之攻伐變本加厲，使得民不聊生，孟子對戰爭之事深惡痛絕，所以一再明辨王道之「征」與霸道之「伐」的不同，下面這一章說得更清楚：

「有人曰：『我善為陳，我善為戰。』大罪也。國君好仁，天下無敵焉，南面而征北狄怨，東面而征西夷怨，曰：『奚為後我？』武王之伐殷也，革車三百兩，虎賁三千人。王曰：『無畏，寧爾也，非敵百姓也。』若崩厥角稽首。征之為言正也，各欲正己也，焉用戰？」（〈盡心下〉）

四、以小事大

有些諸侯所以能稱霸，是因爲諸侯之國有大、小。那麼大、小國該如何相處呢？孟子說：

「天下有道，小德役大德，小賢役大賢。天下無道，小役大，弱役強，斯二者，天也。順天者存，逆天者亡。齊景公曰：『既不能令，又不受命，是絕物也。』涕出而女於吳。今也小國師大國，而恥受命焉，是猶弟子而恥受命於先師也。如恥之，莫若師文王，

師文王，大國五年，小國七年，必為政於天下矣。」（〈離婁上〉）

「惟仁者為能以大事小，是故湯事葛，文王事昆夷。惟智者為能以小事大，故大王事獯鬻，句踐事吳。以大事小者，樂天者也。以小事大者，畏天者也。樂天者，保天下；畏天者，保其國。」（〈梁惠王下〉）

孟子認爲天下有道時，德行、才能小的諸侯事奉德行、才能大的諸侯；天下無道時，弱小的諸侯須事奉强大的諸侯。小國如恥於事奉大國，就應師法文王施行仁政，則七年也可以天下無敵。大國如果能敬事小國，即可保天下；而小國如果能敬事大國，則至少也可以自保。當時有一小國的國君滕文公，曾三次問孟子如何處於大國之間，現在我們來看看孟子如何一一回答：

滕文公問曰：「滕，小國也，間於齊楚，事齊乎？事楚乎？」孟子對曰：「是謀非吾所能及也。無已，則有一焉，鑿斯池也，築斯城也，與民守之，效死而民弗去，則是可為也。」（〈梁惠王下〉）

滕文公問曰：「齊人將築薛，吾甚恐。如之何則可？」孟子對曰：「昔者大王居邠，狄人侵之，去之岐山之下居焉。非擇而取之，不得已也。苟為善，後世子孫必有王者矣。君子創業垂統，為可繼也；若夫成功，則天也。君如彼何哉？彊為善而已矣。」（〈梁惠王下〉）

滕文公問曰：「滕，小國也，竭力以事大國，則不得免焉，如之何則可？」孟子對曰：「昔者大王居邠，狄人侵之，事之以皮幣，不得免焉，事之以犬馬，不得免焉，事之以珠玉，不得免焉。仍屬其耆老而告之曰：『狄人之所欲者，吾土地也。吾聞之也，君子不以其所以養人者害人。二三子何患乎無君？我將去之。』去邠，踰梁山，邑于岐山之下居焉。邠人曰：『仁人也，不可失也。』從之者如歸市。或曰：『世守也，非身之所能為也，效死勿去。』君請擇於斯二者。」（〈梁惠王下〉）

首先，孟子說他不能談謀略之事，他只能建議滕文公與人民效死固守城池。這裡可以看出孟子和戰國縱橫家不同之處。

其次，孟子引大王的故事，認為不得已時只好遷徙他處，如果能努力行善，後代子孫必可以王天下，不必急於一時。人可以做的是努力為善，創立基業，並使善良的傳統，一代代承續下去。至於是否能成功，那仍有天命來決定。

最後，孟子要滕文公在「效死勿去」與遷徙他處作一選擇。如依所引大王的話「君子不以其所以養人者害人」來看，如果效死可以固守土地，不妨效死勿去；如果效死仍不能固守土地，卻不必為土地而使人民同歸於盡，不如暫時遷徙避禍，將來仍有可能收復故土。所以如何選擇，須滕文公對自己國家的情況作妥善之研判，自行決定。在此，孟子不能替滕文公作選擇，這也可以看出儒家務實的一面。孟子又說：

「夫人必自侮，然後人侮之；家必自毀，而後人毀之；國必自伐，而後人伐之。太甲曰：『天作孽，猶可違；自作孽，不可活。』此之謂也。」（〈離婁上〉）

「今國家閑暇，及是時般樂怠敖，是自求禍也。禍福無不自己求之者。詩云：『永言配命，自求多福。』太甲曰：『天作孽，猶可違；自作孽，不可活。』此之謂也。」（〈公孫丑上〉）

「賢者在位，能者在職；國家閒暇，及是時明其政刑，雖大國，必畏之矣。」（〈公孫丑上〉）

小國如學大國「般樂怠敖」，是「自求禍也」「自作孽，不可活」；反之，小國如果自立自强、任用賢能、修明政刑，是「自求多福」「天作孽，猶可違」，甚至獲得大國的敬畏，可見小國並非無可作爲。孟子「以小事大」的見解，充分流露出他過人的政治智慧。

五、由民貴到民主

上文提過，仁政或王道是「樂民之樂」「憂民之憂」，以人民的利益爲第一優先。類似此義，孟子又有下面一段名言：

「民為貴，社稷次之，君為輕。是故得乎丘民為天子；得乎天子為諸侯；得乎諸侯為大夫。諸侯危社稷，則變置；犧牲既成，粢盛既潔，祭祀以時，然而旱乾水溢，則變置社稷。」（〈盡心下〉）

爲了社稷的利益，可以「變置」諸侯，所以國君的地位不是絕對的；爲了人民的利益，可以「變置」社稷，所以社稷的神聖也不是絕對的。因此，最尊貴的是人民。這樣的政治思想，把人民從君權和神權中解放出來，在兩千多年前可眞是驚天動地之事。不過「變置」諸侯的事，必須相當愼重，不是人人可爲的。孟子認爲須是同姓的「貴戚之卿」才能將國君「易位」。請見下文：

齊宣王問卿。孟子曰：「王何卿之問也？」王曰：「卿不同乎？」曰：「不同，有貴戚之卿，有異姓之卿。」王曰：「請問貴戚之卿。」曰：「君有大過則諫，反覆之而不聽，則易位。」王勃然變乎色。曰：「王勿異也。王問臣，臣不敢不以正對。」王色定，然後請問異姓之卿。曰：「君有過則諫，反覆之而不聽，則去。」（〈萬章下〉）

此外，如伊尹這樣無篡逆之志的賢臣，也有資格放逐國君：

公孫丑曰：「伊尹曰：『予不狎于不順，』放太甲于桐，民大悅；太甲賢，又反之，民大悅。賢者之為人臣也，其君不賢，則固可放與？」孟子曰：「有伊尹之志，則可，無伊尹之志，則篡也。」（〈盡心上〉）

孟子否定了絕對的君權，因此君臣的關係是相對的，如果君視臣如土芥，那麼臣視君可如寇讎。不仁不義的君，甚至祇是「一夫」，誅一夫不叫弒君。請見下文：

孟子告齊宣王曰：「君之視臣如手足，則臣視君如腹心；君之視臣如犬馬，則臣視君如國人；君之視臣如土芥，則臣視君如寇讎。」（〈離婁上〉）

齊宣王問曰：「湯放桀，武王伐紂，有諸？」孟子對曰：「於傳有之。」曰：「臣弒其君，可乎？」曰：「賊仁者，謂之賊；賊義者，謂之殘。殘賊之人，謂之一夫。聞誅一夫紂矣，未聞弒君也。」（〈梁惠王下〉）

紂之所以失天下，孟子認為是因為他失去民心，孟子說：「桀紂之失天下也，失其民也。失其民者，失其心也。得天下有道，得其民，斯得天下矣；得其民有道，得其心，斯得民矣。」（〈離婁上〉）因此孟子把「人民」視為諸侯的三寶之一（〈盡心下〉）。

剋就孟子主張的「民為貴」來說，未必含有民主的思想，因為「貴」未必是「主」。譬如對我們來說空氣或寶玉很珍貴，卻不是我們的主人。即使強調「得民心」，也不能說就有民主思想，因為專制的君主也可能得民心。而且否定絕對的君權，也不表示就主張民主。此外，孟子又說：

「國君進賢如不得已。將使卑踰尊，疏踰戚，可不慎與？左右皆曰賢，未可也；諸大夫皆曰賢，未可也；國人皆曰賢，然後察之；見賢焉，然後用之。左右皆曰不可，勿聽；諸大夫皆曰不可，勿聽；國人皆曰不可，然後察之；見不可焉，然後去之。左右皆曰可殺，勿聽；諸大夫皆曰可殺，勿聽；國人皆曰可殺，然後察之；見可殺焉，然後殺之；故曰國人殺之也。如此，然後可以為民父母。」（〈梁惠王下〉）

由這一章可以看出，孟子認為國君任免人才，甚至死刑的判決，都應重視「民意」。雖然如此，最後的人事或刑事的裁決權仍屬國君一人，仍與眞正的民主不同。民主的重要精神在於以人民爲國家的主人。這樣的民主，特別重視統治者的產生，必須經由人民的選擇而同意。孟子另有一段話大體符合這種精神：

萬章曰：「堯以天下與舜，有諸？」孟子曰：「否，天子不能以天下與人。」「然則舜有天下也，孰與之？」曰：「天與之。」曰：「天與之者，諄諄命之乎？」曰：「否；天不言以行與事示之而已矣。」曰：「以行與事示之者，如之何？」曰：「天子能薦人於天，不能使天與之天下；諸侯能薦人於天子，不能使天子與之諸侯；大夫能薦人於諸侯，不能使諸侯與之大夫。昔者堯薦舜於天，而天受之；暴之於民，而民受之。故曰：『天不言，以行與事示之而已矣。』」曰：「敢問薦之於天，而天受之，暴之於民，而民受之，如何？」曰：「使之主祭，而百神享之，是天受之。使之主事，而事治。百姓安之，是民受之也。天與之，人與之，故曰：『天子不能以天下與人。』舜相堯，二十有八載，非人之所能為也，天也。堯崩，三年之喪畢，舜避堯之子於南河之南。天下諸侯朝覲者，不之堯之子而之舜；訟獄者，不之堯之子而之舜；謳歌者，不謳歌堯之子而謳歌舜；故曰：『天』也。夫然後之中國，踐天子位焉。而居堯之宮，逼堯之子，是『篡』也，非『天與』也。泰誓曰：『天視自我民視，天聽自我民聽，』此之謂也。」（〈萬章上〉）

這段話以天下統治權的轉移，須「天受之」「民受之」，「天受」之事本無可徵驗，所以仍取決於人民。所謂：「使之主事，而事治。百姓安之，是民受之也。」而人民之接受舜，其徵驗在於「天下諸侯朝覲者，不之堯之子而之舜；訟獄者，不之堯之子而之舜；謳歌者，不謳歌堯之子而謳歌舜」。因此，統治者（舜）的產生是經過人民的選擇而同意的，即使在這種同意權的行使上，未符某些客觀的形式。

孟子認爲祇要符合「天受」「民受」的條件，不論禪讓或世襲，都是符應民意，係由人民決定的。請看下面這章：

萬章問曰：「人有言：『至於禹而德衰，不傳於賢，而傳於子。』有諸？」孟子曰：「否，不然也。天與賢則與賢；天與子則與子。昔者舜薦禹於天，十有七年；舜崩，三年之喪畢，禹避舜之子於陽城；天下之民從之，若堯崩之後，不從堯之子而從舜也。禹薦益於天，七年；禹崩，三年之喪畢，益避禹子於箕山之陰；朝覲訟獄者，不之益而之啟，曰：『吾君之子也』，謳歌者，不謳歌益而謳歌啟，曰：『吾君之子也。』丹朱之不肖，舜之子亦不肖；舜之相堯，禹之相舜也，歷年多，施澤於民久。啟賢，能敬承繼禹之道；益之相禹也，歷年少，施澤於民未久。舜、禹、益相去久遠，其子之賢不肖，皆天也，非人之所能為也。莫之為而為者，天也；莫之致而至者，命也。匹夫而有天下者，德必若舜禹，而又有天子薦之者；故仲尼不有天下。繼世以有天下，天之所廢，必若桀紂者也；故益、伊尹、周公不有天下。伊尹相湯以王於天下。湯崩，太丁未立，外丙二年，仲壬四年。太甲顛覆湯之典刑，伊尹放之於桐；三年，太甲悔過，自怨自艾，於桐處仁遷義，三年以聽伊尹之訓己也，復歸于亳。周公之不有天下，猶益之於夏，伊尹之於殷也。孔子曰：『唐虞禪，夏后、殷、周繼，其義一也。』」（〈萬章上〉）

由此可知，孟子是具有一些初期的民主思想的。但他的民主思想中，人民對統治者的產生，祇有同意權而無提名權及被提名權；即使關於同意權的行使，也缺乏客觀的制度。後人沒有將孟子的民主思想繼續予以發展，到頭來我們的民主制度還要求教於西方，實在令人惋惜！

尚論古人

一、爲什麼要「尚論古人」？

孟子告訴萬章說：

「一鄉之善士，斯友一鄉之善士；一國之善士，斯友一國之善士，天下之善士，斯友天下之善士。以友天下之善士為未足，又尚論古之人。頌其詩，讀其書，不知其人可乎？是以論其世也：是尚友也。」（〈萬章下〉）

一位天下的善士，除了與天下的善士爲友外，還應尚友古人。尚友古人目的在跟他學習。古聖賢和一般人本無不同，孟子說：「何以異於人哉？堯舜與人同耳。」（〈離婁下〉）又說：「顏淵曰：『舜何人也？予何人也？有爲者，亦若是。』公明儀曰：『文王我師也，周公豈斯我哉？』」（〈滕文公上〉）這種以古人爲師的氣魄，眞値得我們效法呢！

爲了尚友古人，必須「頌其詩，讀其書」。可是「頌其詩，讀其書」時，應對古人及其時代有正確的了解，所謂「知其人」「論其世」。所以「尚論古人」有其必要。

二、對聖賢之品評

尚論古人的目的，旣是爲尚友古人，所以孟子所論的古人多爲聖賢，以便見賢思齊。孟子所論的重要古聖賢可分成二類：第一類大體上孟子對他們是有褒無貶；第二類則孟子對他們不無批評，且常常把他們與孔子作比較，認爲孔子比他們好。以下我們分別來探討。

㈠堯、舜、禹、湯、文、武、周公

這七人正好是韓愈在〈原道〉一文中所提出的傳「道」的譜系，此系統後來傳之孔子，孔子再傳給孟子，「軻之死，不得其傳焉」。後人乃以此爲「道統」。韓愈的主張，多少受到孟子的影響。如《孟子》全書最後一章說五百年就有「聞而知之」「見而知之」的聖賢，孟子並隱約地期望自己的時代也有這樣的聖賢，「然而無有乎爾」。孟子又說：「五百年必有王者與。……夫天未欲平治天下也。如欲平治天下，當今之世舍我其誰也！」（〈公孫丑下〉）由此可知，孟子正以王者自期，對道統的傳承頗有當仁不讓的氣概。此外，孟子既然在當代找不到聖賢，就更要尚友古人了。

對於堯、舜，孟子認為他們的長處，在於憂患民生疾苦且能用賢，他說：「當堯之時，天下猶未平，洪水橫流，氾濫於天下，草木暢茂，禽獸繁殖，五穀不登，禽獸偪人，獸蹄之道交於中國，堯獨憂之。」又說：「以天下與人易，為天下得人難。」（〈滕文公上〉）堯能舉用舜，舜又能舉用益、禹、后稷、契、皋陶這些賢臣，所以天下大治。孟子並引用孔子的話讚美堯「蕩蕩乎民無能名焉」，讚美舜「巍巍乎有天下而不與焉」。（按《論語．泰伯》之原文是「巍巍乎舜禹之有天下也，而不與焉」。）

孟子說：「堯舜之道，孝悌而已。」（〈告子下〉）堯舜之道何以特重孝悌，可以由孟子以下的話知之：「知者無不知也，當務之為急。仁者無不愛也，急親賢之為務。堯舜之知而不遍物，急先務也。堯舜之仁，不遍愛人，急親賢也。不能三年之喪，而緦小功之察；放飯流歠，而問無齒決：是之謂不知務。」（〈盡心上〉）

關於堯本人的事，孟子述之不多。《尚書．堯典》讚堯之德云：「克明俊德，以親九族；九族既睦，平章百姓；百姓昭明，協和萬邦。」可見堯自身能行孝悌，並由此協和萬邦。堯要讓位時，令四岳推薦賢人，四岳舉舜之德說：「瞽子，父頑，母嚚，象傲；克諧，以孝烝烝，乂不格姦。」堯因舜具孝悌之德而試用他，可見堯之施政，特重孝悌。

至於舜的孝悌事跡，孟子在〈萬章上〉多所論述，茲不復贅。除了孝悌之德外，孟子又曾稱讚舜說：「舜之飯糗茹草也，若將終身焉。及其爲天子也，被袗衣，鼓琴，二女果若固有之。」（〈盡心下〉）這是稱讚舜能如《中庸》所說的「素其位而行，不願乎其外。素富貴，行乎富貴；素貧賤，行乎貧賤。」舜不動心於外境，所以即使貴爲天子，也能「巍巍乎有天下而不與焉」。孟子說得好：「君子所性，雖大行不加焉，雖窮居不損焉，分定故也。」這正是舜的境界之寫照呢！

舜還有一個優點「與人爲善」。孟子說：「子路，人告之以有過則喜；禹聞善言而拜。大舜有大焉，善與人同，舍己從人，樂取於人以爲善。自耕、稼、陶、漁，以至爲帝，無非取於人者。取諸人以爲善，是與人爲善者也。故君子莫大乎與人爲善。」（〈公孫丑上〉）《中庸》也曾引孔子的話讚美舜這種美德：「舜其大知也與！舜好問而好察邇言，隱惡而揚善，執其兩端，用其中於民，其斯以爲舜乎？」

禹的「聞善言而拜」雖不如舜的「善與人同，舍己從人，樂取於人以爲善」，但也是一般人所難及的。孟子說：「禹八年於外，三過其門而不入。」（〈滕文公上〉）其勤政愛民，令人讚嘆。

對禹、湯、文、武、周公的美德，孟子曾列述說：「禹惡旨酒而好善言。湯執中，立賢無方。文王視民如傷，望道而未之見。武王不泄邇，不忘遠。周公思兼三王，以施四事，其有不合者，仰而思之，夜以繼日；幸而得之，坐以待旦。」（〈離婁下〉）

湯以「七十里爲政於天下」（〈滕文公下〉），「救民於水火之中」（〈滕文公下〉）「民望之，若大旱之望雲霓也」（〈梁惠王下〉）文王、武王也都是「一怒而安天下之民」（〈梁惠王下〉）。文王「善養老」（〈離婁上〉）以致天下歸之。湯與文王都是「以德服人」「以德行仁」（〈公孫丑上〉）的王者。

不過，如果與堯舜相比，湯、武又有所不及。孟子說：「堯舜，性之也，湯武，身之也。」（〈盡心上〉）「堯舜，性者也。湯武，反之也。」（〈盡心下〉）堯、舜是前無所承的聖人；而湯、武是「聞而知之」的聖人。前者是本性自發以成聖；後者是復反本性以成聖。孟子說：「人之所以異於禽獸者幾希。庶民去之，君子存之。舜明於庶物，察於人倫。由仁義行，非行仁義也。」（〈離婁下〉）舜「明於庶物，察於人倫」，是以其本性而自發的。所以堯、舜「性之」，是「由仁義行」；而湯、武的「身之」「反之」，是「行仁義」。雖然都是仁義之君，其成聖的起點有別。

㈡伯夷、叔齊、伊尹、柳下惠

孟子對伯夷、叔齊、伊尹、柳下惠四人常作品評，見於〈公孫丑上〉〈萬章下〉〈盡心上、下〉各篇。茲引一段如下：

「伯夷目不視惡色，耳不聽惡聲。非其君不事，非其民不使。治則進，亂則退。橫政之所出，橫民之所止，不忍居也。思與鄉人處，如以朝衣朝冠坐於塗炭也。當紂之時，居北海之濱，以待天下之清也。故聞伯夷之風者，頑夫廉，懦夫有立志。伊尹曰：『何事非君？何使非民？』治亦進，亂亦進。曰：『天之生斯民也，使先知覺後知，使先覺覺後覺。予，天民之先覺者也；予將以此道覺此民也。』思天下之民，匹夫匹婦有不與被堯舜之澤者，如己推而內之溝中。其自任以天下之重也。柳下惠，不羞汙君，不辭小官。進不隱賢，必以其道。遺佚而不怨，阨窮而不憫。與鄉人處，由由然不忍去也。『爾為爾，我為我，雖袒裼裸裎於我側，爾焉能浼我哉？』故聞柳下惠之風者，鄙夫寬，薄夫敦。」（〈萬章下〉）

這四人表現三類不同的聖賢氣象：伯夷、叔齊是清高不俗；伊尹是勇於自任；柳下惠是寬厚溫和。所以孟子說：「伯夷，聖之清者也；伊尹，聖之任者也；柳下惠，聖之和者也。」（〈萬章下〉）孟子雖然說：「聖人百世之師也，伯夷、柳下惠是也。」（〈盡心下〉）但他也批評說：「伯夷隘，柳下惠不恭。隘與不恭，君子不由也。」（〈公孫丑上〉）伯夷、柳下惠所表現的兩種極端風格，有其可能導致的缺點。如果一味地「清」，可能趨於「隘」；一味地「和」，可能導致「不恭」。這是我們學習聖賢時，必須自我警惕的。

三、聖賢之同

聖賢雖然氣象有異，但有其通同之處。孟子說：「舜生於諸馮，遷於負夏，卒於鳴條，東夷之人也。文王生於岐周，卒於畢郢，西夷之人也。地之相去也，千有餘里，世之相後也，千有餘歲。得志行乎中國，若合符節。先聖後聖，其揆一也。」（離婁下）

聖賢若合符節之處究竟在那裡？孟子說：「居下位，不以賢事不肖者，伯夷也。五就湯，五就桀者，伊尹也。不惡汙君，不辭小官者，柳下惠也。三子者不同道，其趨一也。一者何也？曰，仁也。君子亦仁而已矣，何必同？」（告子下）聖賢相同的是「仁」；不同的是表現「仁」的氣象或風格。

其次，聖賢處於不同的時代環境，也會有不同的表現，但這並不妨礙他們在精神上的一致。以下一段話說得很清楚：

禹、稷當平世，三過其門而不入，孔子賢之。顏子當亂世，居於陋巷，一簞食，一瓢飲，人不堪其憂，顏子不改其樂，孔子賢之。孟子曰：「禹、稷、顏回同道。禹思天下有溺者，由己溺之也；稷思天下有飢者，由己飢之也；是以如是其急也。禹、稷、顏子易地則皆然。今有同室之人鬥者，救之，雖被髮纓冠而救之，可也。鄉鄰有鬥者，被髮纓冠而往救之，則惑也，雖閉戶可也。」（〈離婁下〉）

雖然聖賢都是志於仁，但是在有些情況下急於救人；在有些情況下又不必急於一時。行爲的表現雖不同，理想卻是一樣的。「禹、稷、顏回同道」，是說他們都有救天下的仁的理想（同道）。這與上文說伯夷、伊尹、柳下惠「三子者不同道，其趨一也。一者何也？曰，仁也。」並不矛盾。理想一致（同道），但表現的氣象可有不同（三子者不同道）。

四、願學孔子

聖賢理想雖同，卻表現出不同的類型。孟子自己則願學孔子，理由安在？請見下文：

曰：「伯夷、伊尹何如？」曰：「不同道。非其君不事，非其民不使，治則進，亂則退，伯夷也。何事非君？何使非民？治亦進，亂亦進，伊尹也。可以仕則仕，可以止則止，可以久則久，可以速則速，孔子也。皆古聖人也。吾未能有行焉。乃所願，則學孔子也。」「伯夷、伊尹於孔子，若是班乎？」曰：「否，自有生民以來，未有孔子也。」曰：「然則有同與？」曰：「有，得百里之地而君之，皆能以朝諸侯有天下；行一不義，殺一不辜，而得天下，皆不為也：是則同。」曰：「敢問其所以異。」曰：「宰我、子貢、有若，智足以知聖人，汙不至阿其所好。宰我曰：『以予觀於夫子，賢於堯舜遠矣。』子貢曰：『見其禮而知其政，聞其樂而知其德。由百世之後，等百世之王，莫之能違也。自生民以來，未有夫子也。』有若曰：『豈惟民哉？麒麟之於走獸，鳳凰之於飛鳥，泰山之於丘垤，河海之於行潦，類也。聖人之於民，亦類也；出於其類，拔乎其萃。自生民以來，未有盛於孔子也。』」（〈公孫丑上〉）

在這裡，孟子指出聖人之「同」：「得百里之地而君之，皆能以朝諸侯有天下；行一不義，殺一不辜，而得天下，皆不爲也：是則同。」這是在仁道上相同。至於孔子與其他聖人之異，孟子引宰我的話，指出孔子「賢於堯舜遠矣」；又引子貢、有若的話，認爲自有人類以來，沒有人能與孔子相比。究竟孔子爲什麼這麼偉大呢？孟子說：

「伯夷，聖之清者也；伊尹，聖之任者也；柳下惠，聖之和者也；孔子，聖之時者也。孔子之謂集大成。集大成也者，金聲而玉振之也。金聲也者，始條理也；玉振之也者，終條理也。始條理者，智之事也；終條理者，聖之事也。智，譬則巧也；聖，譬則力也；由射於百步之外也；其至，爾力也；其中，非爾力也。」（〈萬章下〉）

孔子是集聖人優點的大成，別的聖人有的美德他都具足。所以孔子與其他聖人的不同，並非祇是氣象、風格或類型的不同。孔子不僅與古聖人的力量相當，到達同樣的聖域；更因爲他兼備衆美，由智始，以聖終，始終條理的完美節奏，表現得恰到好處，他的智巧實爲其他聖人所不及。

堯、舜雖然「由仁義行」，優於湯、武的「行仁義」；但孔子開啓「始條理」的「智」之路，使人在成德上更加入了理智自覺的成分，更能行乎中道（可以仕則仕，可以止則止，可以久則久，可以速則速）。這正是孟子願學孔子的緣故。而且人人經由後天的學習（這也是由「智」之路入），都可以成聖，這比堯、舜憑藉本性自發以成聖，更具有豐沛的人文與人道精神，對後代的貢獻與影響更爲宏大而深遠！這又是孔子所不可及的地方。

齊人章

〈齊人〉是《孟子》中相當有趣的一章。它敍述一個故事或寓言，文字不多卻高潮迭起、餘波盪漾，像是一篇「極短篇」的小說。不過，本文在此主要不是談它的寫作技巧，而是要探討它的寓意和思想。

首先本章的主角是齊人，或許並非偶然。《孟子》書中，宋人的揠苗助長和齊人的驕其妻妾都是餘韻無窮的諷刺小品。宋人之愚與齊人之妄，在當時人的心目中似已形成固定的印象。與孟子同時的莊子，在他的〈逍遙遊〉中也說：「齊諧者，志怪者也。」齊國濱海，人多易幻想。晚於孟子的齊人騶衍，就以五德轉移及大九州之說，見禮於諸侯。後來陰陽五行家也以齊爲根據地，而古代方術求仙之士多出於此。孟子以「此非君子之言，齊東野人之語也。」（〈萬章上〉）駁斥一些不當的言論，不是沒有原因的。〈齊人章〉中主角行爲怪誕，似乎符合戰國時人對齊人的一些固定印象，所以孟子或者有意把他安排爲齊人，而非晋人、宋人。

這個齊人既有一妻一妾，又是飲食求饜足者，正是追逐飲食男女的典型人物。《禮記・禮運篇》說：「飲食男女，人之大欲存焉。」告子也說：「食色，性也。」（〈告子上〉）而孟子則說：「飲食之人，則人賤之矣，爲其養小以失大也。飲食之人無有失也，則口腹豈適爲尺寸之膚哉？」（〈告子上〉）孟子並非反對飲食男女，祇是反對以之爲人性的全部，以之爲人生的主要目標，「爲其養小以失大也」。齊人貪求生理欲望的滿足，孟子正是要諷刺這樣逐欲的生活態度。《莊子．大宗師》說：「其耆欲深者，其天機淺。」孔子也說：「棖也慾，焉得剛？」（〈公冶長〉）儒、道二家對欲望的態度雖不相同，但在反對多欲這一點來說倒有些相近。

齊人之妻並不反對丈夫追求富貴或饜足，而是不恥於他追求的方式，所謂「饜足之道」。其實，不僅齊人的妻妾有這樣的看法，根據「遍國中無與立談者」，也可以看出一般人都不恥於齊人的行爲。問題不在追求富貴或饜足，而是我們在追求這些事物時，是否能維持自己的尊嚴，而非不擇手段地去求。尊嚴地生活，在孟子看來是人性的重要部分，也是人和禽獸不同的地方，這是人的「羞惡之心」。齊人爲了饜足，爲了滿足虛幻的富貴之感，卻失去了本來具足的羞惡之心，正是孟子所謂「失其本心」。

齊人之妻說：「良人者，所仰望而終身也。」但是她所終身仰望的，不祇是溫飽的物質生活，不祇是富貴的社會地位，也是人格的尊嚴。「尊嚴」是人性的主要關懷之一。

其實，齊人對自己的行徑，並非完全沒有羞恥心，否則他不會對妻妾隱瞞自己所以饜足的眞相。但是爲了「驕其妻妾」的虛榮，他祇好說謊。《大學》論「誠意」時說：「小人閒居爲不善，無所不至，見君子而后厭然，揜其不善，而著其善。」正是齊人心態的眞實寫照。齊人所以隱瞞饜足的眞相，也反證了孟子所謂「羞惡之心，人皆有之」（〈告子上〉）「無羞惡之心，非人也。」（〈公孫丑上〉）的主張。

齊人之妻「蚤起，施從良人之所之。」說明齊人大約是一大早就去乞食。這使我們想起孟子所說的：「雞鳴而起，孳孳爲善者，舜之徒也；雞鳴而起，孳孳爲利者，蹠之徒也。欲知舜與蹠之分，無他，利與善之閒也。」（〈盡心上〉）

齊人在乞食求厭足時，是「之祭者乞其餘；不足，又顧而之他」，這樣的「饜足之道」，也生動地刻畫出，人追求欲望時那種貪得無厭、到處鑽營的醜態。

故事談完之後，孟子點出題旨：「由君子觀之，則人之所以求富貴利達者，其妻妾，不羞也而不相泣者，幾希矣！」「羞」字在末句點醒，可謂全文之「眼」。一般人或者求富貴，或者求利達，其所以求之道，莫不有可羞之處；祇是大家遮遮掩掩，見怪不怪，視爲理所當然。

「羞」字在《論語》出現一次，其文如下：

子曰：「南人有言：『人而無恆，不可以作巫醫。』善乎！『不恆其德，或承之羞。』」子曰：「不占而已矣。」（〈子路〉）

在此，孔子係引《易經・恆卦》爻辭說，沒有常德的人將有羞辱之事。另外《論語》出現「恥」字的也有不少章，如：

子曰：「道之以政，齊之以刑，民免而無恥；道之以德，齊之以禮，有恥且格。」（〈為政〉）

子曰：「行己有恥，使於四方，不辱君命，可謂士矣。」（〈子路〉）

子曰：「士志於道，而恥惡衣惡食者，未足與議也。」（〈里仁〉）

子曰：「衣敝緼袍，與衣狐貉者立，而不恥者，其由也與！……」（〈子罕〉）

子曰：「君子恥其言而過其行。」（〈憲問〉）

子曰：「古者言之不出，恥躬之不逮也。」（〈里仁〉）

子曰：「巧言令色足恭，左丘明恥之，丘亦恥之。匿怨而友其人，左丘明恥之，丘亦恥之。」（〈公冶長〉）

憲問恥。子曰：「邦有道，穀；邦無道，穀，恥也。……」（〈憲問〉）

子貢曰：「孔文子何以謂之文也？」子曰：「敏而好學，不恥下問，是以謂之文也。」（〈公冶長〉）

有子曰：「信近於義，言可復也。恭近於禮，遠恥辱也。……」（〈學而〉）

上述章句中的「恥」，與道德修養都有密切的關係。此外，《中庸》也曾引孔子說：「好學近乎知，力行近乎仁，知恥近乎勇。」孟子論「恥」的重要句子，則有：「人不可以無恥，無恥之恥，無恥矣。」（〈盡心上〉）「恥之於人大矣！為機變之巧者無所用恥焉。不恥不若人，何若人有？」（〈盡心上〉）

毫無尊嚴地求富貴利達卻不以為羞恥的人，本來絕無僅有（幾希矣）。這也證明了羞惡之心在人性中具有相當的普遍性。孟子在講人性的四端時除了羞惡之心，也提及是非之心，並且同樣說：「是非之心，人皆有之。」（〈告子上〉）「無是非之心，非人也。」（〈公孫丑上〉）那麼是非之心和羞惡之心有什麼不同呢？

孟子說：「羞惡之心，義也；……是非之心，智也。」（〈告子上〉）「羞惡」與「是非」都涉及價值的判斷。孟子的性善說正是主張價值的判斷，係基於人的心性，所謂「良知」。但以「羞惡之心」爲「義」；以「是非之心」爲「智」，則「是非之心」是强調對道德是非的理性之辨知；而「羞惡之心」是强調對道德好惡的意志之承擔，因承擔而有義務感。前者指涉的是道德理性；後者指涉的是道德意志（「惻隱之心」屬道德情感；「恭敬或辭讓之心」屬道德態度）。在孟子來說道德理性與道德意志，甚至道德情感、道德態度都是一體的，是人的本心善性的眞實內涵。就心性的表現來說，可以有理性、意志、情感、態度的區分（所謂「四端」），但就心性的本身來說，祇是「一本」。這「一本」即是「仁」。所以孟子說：「仁，人心也。」（〈告子上〉）「仁也者，人也。合而言之，道也。」（〈盡心下〉）

「意志」必有所向，所向爲好，所背爲惡，因此意志必有好惡兩面。人的道德行爲固然不能離開道德理性的是非判斷，更是直接由道德意志或意念所引發。所以道德的好惡（羞惡）處於引導道德行爲的關鍵地位，備受重視。

《大學》對人的好惡問題特別予以注意，請看以下引文：

「所謂誠其意者，毋自欺也。如惡惡臭，如好好色，此之謂自謙。故君子必慎其獨。」

「有所好樂，則不得其正。」

「好而知其惡，惡而知其美者，天下鮮矣。」

「其所令反其所好，而民不從。」

「君子有絜矩之道，所惡於上，毋以使下，……民之所好好之，民之所惡惡之。」

「人之彥聖，其心好之，不啻若自其口出。……『唯仁人為能愛人，能惡人。』」

「好人之所惡，惡人之所好，是謂拂人之性。」

「未有上好仁，而下不好義者也；未有好義，其事不終者也。」

由此可知，《大學》從誠意、正心、修身，到齊家、治國、平天下，沒有不提及好惡的。對事物或人的好惡，可以是屬於中性的，如「好好色」「惡惡臭」「好樂」「民之所好」「民之所惡」等。但也有些好惡是與道德直接相關的，如「好仁」「好義」「民之所好好之」「民之所惡惡之」等。與道德直接相關的好惡，正是由道德意志所發，而爲道德修養的重要依據。

孟子說：「理義之悅我心，猶芻豢之悅我口。」（〈告子上〉）依孟子之意，人心的悅理義，正如人口之悅芻豢那樣，是天生自然的。不過，芻豢之悅我口，芻豢是來自口外；理義之悅我心，理義卻非來自心外。本心即是理義，所以說「羞惡之心，義也」。好仁義的心，就是仁義。不是有個仁義在心之外，爲心之所好。這是孟子「仁義內在」的主張，也是他所以反對告子「仁內義外」的原因。

好仁義的心，就是仁義；反過來說，羞惡不仁不義的心，也是仁義。因爲好仁義，與羞惡不仁不義，正是一事。祇不過一個由正面說，一個由反面說罷了。

道德理性（是非之心）在判斷是非時，祇是作靜態的判斷而已。但道德意志（羞惡之心）在展現好惡時，必有動態的意向，所以直接成爲道德行爲的發動者。不過，這裡所謂「靜態」「動態」是方便地說。究實地說，良心本性是靜而無靜、動而無動的。是非之心，就是羞惡之心，它們是一體的兩面；不是先有是非之心，然後再有一個羞惡之心。作是非的理性判斷或認知時，就是起好是惡非的道德意志之時。關於此義，後來的王陽明說得最透闢，他說：

「良知只是箇是非之心。是非只是箇好惡，只好惡就盡了是非；只是非就盡了萬事萬變。」（王陽明《傳習錄》卷三）

人的一切（萬事萬變），離不開人的價值判斷（是非）；而價值判斷，離不開人的意志之好惡。良知只是「知是非」，但「知是非」就「好是惡非」。在此，知與意是一體的，道德理性和道德意志不能二分，一切道德修養從這裡開始。所以，孟子非常重視羞惡之心，重視「義」。因此，〈齊人章〉在人之求富貴利達的饜足中，點出一個「羞」字，實在有很深切的意義呢！

大學的智慧

大學的智慧

一、前言

《大學》一篇，不論是就內容、作者或成篇時代來說，古今學者有關的討論著作可謂汗牛充棟。本文祇希望用有限的篇幅，將平時研讀所得，提出幾個重點來說明。

《大學》既然是《禮記》的一篇，它成篇的時代恐怕不會太早。孟子、荀子都沒有提過此篇，而三綱領、八條目這樣系統化的理論建構，似乎也是孟、荀以後的發展。《禮記》是儒者研究「禮」的一篇篇心得報告，因經展轉流傳，後人編輯成書時，有些篇的作者已無法考知，是很有可能的。尤其秦代焚書坑儒，這些儒者之作沒有具名，也是相當合理的。如果是漢代儒者所作，作者之名沒有理由不記下來。因此，《大學》成篇的時代應在戰國晚期，荀子之後，或許爲秦代之作，不會晚至漢代。

孟子有一段話說：「夏曰校，殷曰序，周曰庠。學則三代共之，皆所以明人倫也。人倫明於上，小民親於下。……詩云：『周雖舊邦，其命維新。』文王之謂也。子力行之，亦以新子之國。」（〈滕文公上〉）這段話和《大學》以大學之道在「明明德」「親民」，同時引用「周雖舊邦，其命維新」之詩，極爲相似。或者《大學》的作者讀過孟子此文，不知不覺將類似的思想甚至文句，用在自己的文章中了。這似乎也可作爲《大學》是在孟子之後的一點旁證吧！

以下選一些《大學》中的主要概念來談談，特別針對歷來有爭議的部分予以說明。

二、明德

「明德」一詞，朱子章句云：「明德者，人之所得乎天而虛靈不昧，以具衆理而應萬事者也。但爲氣稟所拘，人欲所蔽，則有時而昏，然其本體之明，則有未嘗息者。故學者當因其所發而遂明之，以復其初也。」一般人解釋「明德」，都根據此說。但是，以「明德」爲天生，以「明」爲「本體之明」「虛靈不昧」，這是宋明理學家之說，且大體是以孟子性善說爲基礎。如單就《大學》本篇來看，並沒有充分的證據支持「明德」一詞作這樣的解釋。

《禮記》中〈大學〉鄭玄注云：「明明德，謂顯明其至德也。」以「至德」釋「明德」，看不出「明德」有天生的意味。孔穎達在〈大學〉篇名下有一段疏云：「此大學之篇，論學成之事，能治其國，章明其德於天下，卻本明德所由，先從誠意爲始。」孔氏似以「章明其德於天下」來釋「德」之「明」義，並指出這樣的明德，是由誠意爲始，則明德來自誠意的修養，並非天生。

詩、書中「明」字，常用來形容人君，《中庸》就有一段現成的例子：「詩云：『予懷明德，不大聲以色。』」朱子《詩經集註》云：「明德，文王之明德也。」《毛詩．大雅．皇矣》鄭氏箋注此詩句云：「我歸人君有光明之德，……。」

按「明德」之「德」可指「德性」，也可指「德行」。如指德性，則承認性善，近於孟子之說；如指德行，則不必承認性善，因爲光明的道德行爲或人格也可以是後天的，那麼荀子也可以說「明德」，「明德」不必然是天生的。

或許有人會問，《大學》的下文引《尚書．大甲》說：「顧諟天之明命」朱子注云：「天之明命，即天之所以與我，而我之所以爲德者也。」這豈不證明「明德」是天所命嗎？但《禮記》孔穎達疏此句云：「伊尹戒大甲云：『爾爲君，當顧念奉正天之顯明之命。』」而《尚書．大甲》原文作：「先王顧諟天之明命，以承上下神祇。」孔安國傳云：「言敬奉天命以承順天地。」孔穎達疏云：「言先王每有所行必還迴視是天之明命。」《尚書》的「天之明命」原係指「天顯明之命先王爲君」之意，並未指先王有天生的明德。《大學》引〈大甲〉此句，祇因其中有「明」字，並非指明德是天生的。

「明德」的問題弄清楚了，就不必硬把《大學》歸於孟子學或荀子學，因爲《大學》本身並不討論性的善惡。《大學》的架構放在孟子或荀子的系統中都講得通，因此後人也不必勉强在這個問題上爲它定位。

三、親民

「親民」程子曰：「親當作新。」因爲《大學》的下文曾引用詩、書來釋「新」。朱子也支持程子之說。但王陽明則仍主張用「親」字，《傳習錄》中徐愛曾問陽明爲何以爲宜從舊本作「親民」？陽明答說：「……下面治國平天下處，皆於新字無發明。」於是他列擧《大學》有親字意的文句，並引孔子、孟子、《尚書》以證明「親民」之義。最後說：「說親民便是兼教養意，說新民便覺偏了。」

至於「親民」如何解釋，陽明在〈大學古本序〉說：「以言乎己，謂之明德；以言乎人，謂之親民。」又其〈大學問〉說：「親民者，達其天地萬物一體之用也。……是故親吾之父，以及人之父……親吾之兄，以及人之兄……君臣也，夫婦也，朋友也，以至於山川鬼神鳥獸草木也，莫不實有以親之，……」陽明之說似亦可通。

前曾引孟子：「人倫明於上，小民親於下。……詩云：『周雖舊邦，其命維新。』文王之謂也。子力行之，亦以新子之國。」（〈滕文公上〉）則《大學》以「親民」爲目標，並引詩說「新」

之義，其情況和孟子所說的類似。因此，「親民」不改爲「新民」也可以。

不過，孟子的「小民親於下」係指民自相親，與陽明以「親民」指親愛教養人民，並不一致。而《禮記．大學》孔穎達疏云：「在親民者，言大學之道在於親愛於民。」則陽明之說又與孔氏相同。

四、止於至善與知止而后有定

「止於至善」朱子釋云：「止者，必至於是而不遷之意。至善則事理當然之極也。」對於「止」與「至善」的解釋，其實可以參考《大學》下面一段話：

「詩云：『邦畿千里，惟民所止。』詩云：『緡蠻黃鳥，止于丘隅。』子曰：『於止，知其所止，可以人而不如鳥乎！』詩云：『穆穆文王，於緝熙敬止！』為人君，止於仁；為人臣，止於敬；為人子，止於孝；為人父，止於慈；與國人交，止於信。」

根據上文，「止」應有「居住」「棲息」之義，用在道德意義上，「止於至善」即生活在至善之中，也就是孔子所謂「里仁爲美」之義。至善是什麼？就是仁、敬、孝、慈、信等。因此，我們應生活在仁、敬等之中。在不同的身分，會有不同的至善表現。對人君來說，他顯現的至善面貌，可稱爲仁，仁就是人君這樣的角色的生活準則或價值；對人臣來說，他的至善面貌，可稱爲敬，敬就是人臣的生活準則或價值。其他以此類推。一個人在社會中可能兼具各種不同的身分或角色，因而他的生活也應有各種準則，或表現各樣的道德價值理想。

「大學」的學習目標在學會生活在完美的道德理想中。我們能認同這樣的理想，生活就會有確定的方向，這就是「知止而后有定」。有了定向，就可以寧靜、安祥，而從事精審的思慮，成就正確的行爲結果。這叫定、靜、安、慮、得。

五、「八條目」的基礎及其層遞關係

依《大學》，八條目成立的基礎或根本動機，乃在於「欲明明德於天下」，也就是欲「止於至善」。如果再問爲什麼有這樣的「欲」或動機？這是「應然」的問題，很難追根究柢地說出爲什麼。因爲這是人的天性的自我要求（自律），沒有任何理由或前提可以用來推論出這樣的「欲」。在這樣的「欲」或動機（即價值判斷）下，八條目才有意義，而修身才成爲「自天子以至於庶人」人人所必要的。

《大學》的八條目，有其本末、先後的次序。前項是後項的必要而且是先決的條件。如走樓梯，要先經過第一階，才能循序到達以後的各階。有百分之百的物格，才有百分之百的知至，以此類推，以至有百分之百的國治，才有百分之百的天下平。但這仍不能說前項的完成，也是後項完成的充分條件。因爲後項完成所需要的條件，並不一定是前項完成時自然就具備的。如：即使天下所有的家都齊了，國是不是能完全得治，也還不一定，因爲二者所需要的條件不盡相同。

進一步來說，對所有的物百分之百的格，以至所有的家百分之百的齊，所有的國百分之百的治，這祇是要實現的終極理想，不能馬上做到。所以《大學》並不是教人對所有的物格到百分之百，再來致知、誠意、修身……。這顯然是很難做到的事。事實上應是：有幾分格物，就有幾分致知；有幾分致知，就具備幾分誠意的基本條件……以至有多少國治，就有多少分的天下平。八條目的層遞關係應如此看才合理。

六、格物致知

「格物」歷來有各種不同的解釋，本文不擬一一介紹，現在從造字的角度來分析。《說文解字》云：「格，木長皃。從木各聲。」段玉裁注云：「木長，言木之美也。木長皃者，格之本義。引伸之，長必有所至，故〈釋詁〉曰：『格，至也。』……此接於彼曰至；彼接于此則曰來。鄭注〈大學〉曰：『格，來也。』……至則有摩杙之義焉。……亦有借格爲扞垎字者。」「格」字從

「各聲」，「各」的本義，也有釋作來、至的。

按樹木枝條抽長，互相接觸，有「至」或「來」之義；接觸而在風中互相摩擦，所以有摩之義；摩擦有互相抵拒之義，故借爲扞垎字，作扞格，格鬥、格殺都屬此義；又枝條交叉，形成規則的格狀，所以有格式之義，應用此義的詞彙如：窗格、品格、人格、性格、資格、格律、合格、及格、風格、格調；格式作動詞，則有度量或「正」之義。

「格」的本義（木長）在古書中的用例，如庾信〈小園賦〉：「枝格相交，草樹混淆。」「格」的引申義在古書中的用例有：用作「至」，如〈堯典〉：「格于上下。」用作「來」如《詩．大雅．抑》：「神之格思。」用作抵拒義，如〈學記〉：「發然後禁，則扞格而不勝。」用作「正」，如《尙書．冏命》：「格其非心。」《論語．爲政》：「有恥且格。」

根據以上的分析，「格物」就是接觸並度量事物而得其規則。因此程子釋「格物」爲「即物而窮其理」，大體不錯。理非全屬於心，也非事物所能自現。人心須與事物接觸，並度量之，理才能現，知才能至，所以大學說：「物格而后知至」「致知在格物」。

王陽明釋「格」爲「正」，「物」爲「事」，因此，「格物」變成「正事」，這樣的解釋雖可自成一說，但將「格」限定爲「正」、「物」限定爲「事」，未必是《大學》的本義。而將「致知」解作「致良知」，更是增字爲訓，並不恰當。「致知」當然可以包括「致良知」，但不必限於「致良知」。

「物」包括一切感覺與認知的對象，它可以是具體或抽象的物，也包括物的種種活動。而人的種種活動，不論是對自己或對其他對象，可以稱爲「事」。「事」是從「史」造字，而「史」《說文》釋爲「記事者也，从又持中。中，正也。」「事」《說文》釋作「職也。」而「職」《說文》釋作「記微也。」由此可知，「事」在古代專指與君王有關的活動，所謂「政事」，而爲史官所記。

《大學》的「格物」應包括格「物」和「事」，所以《大學》說：「物有本末，事有終始，知所先後，則近道矣。」這是《大學》本文對格物的正解。

《大學》的「知」包括知物之本末、事之終始；及知「以本、始爲先，以末、終爲後」的價值判斷。當然最高的知，是知「道」。《大學》談到「知」的地方還有：

「知止（於至善）而后有定」

「於止知其所止……為人君止於仁；為人臣止於敬；為人子止於孝；為人父止於慈；與國人交止於信。」

「自天子以至於庶人，壹是皆以修身為本。其本亂而末治者，否矣；其所厚者薄，而

其所薄者厚，未之有也。此謂知本，此謂知之至也。」（此據古本《大學》）

「子曰：『聽訟，吾猶人也；必也使無訟乎！』無情者不得盡其辭，大畏民志，此謂知本。」

「好而知其惡，惡而知其美者，天下鮮矣。故諺有之曰：『人莫知其子之惡，莫知其苗之碩。』」

「知」一般可分爲實然之知與應然之知二大類，前者指一般知識之知，後者指是非之知，也就是道德判斷。上述物的本末、事有終始，屬實然之知；但也可以屬應然之知，因爲《大學》說「知本」時，也涉及「治」「亂」「厚」「薄」「使無訟」的價值判斷；知所先後，屬應然之知。其他如知「止」（止於至善、仁、敬、孝、慈、信）；知「壹是皆以修身爲本」；知「厚」「薄」；知「惡」「美」，都是屬於價值判斷的應然之知。

綜合來看，《大學》的「知」是以應然的知爲主，或至少以應然的知爲最高，所以《大學》以知「修身爲本」，知本、末、厚、薄爲「知之至」。

「知」所知的是事物或宇宙的規則或規律，宋儒稱之爲「理」，它包括自然律、道德律、法律、天道……等等。良知是道德判斷的最初根據，也是道德律的先天基礎，它也是一種「知」（是非之知）。特別當《大學》將格物、致知與誠意、正心、修身連貫起來時，能指導誠意、正心、修身的最重要的知，是道德的知（良知或是非之知）。所以王陽明特指「致知」爲「致良知」，正是就八條目的一貫性來說，不是沒有意義的。然而，良知或道德的知也不能離開一般知識而獨立運作，所以「致知」不能祇是「致良知」。

良知爲何不能離開知識呢？茲舉「見孺子將入於井」爲例。見此事之發生，須有知覺；知此事情況危急，須有對「孺子」「井」以及「孺子入於井」之危險的知識。知道危急後，良知才可能呈現，而有惻隱；有了惻隱之心，才有應救孺子的道德判斷出現；於是才可能採取救援的道德行爲。然而一個有效的救援行爲，又需要有關救援的一般知識。所以，知識一方面是良知呈現的外在條件（外緣）；一方面也是完成良知所引導的道德行爲的輔助條件（助緣）。因此，先天的良知，不能片刻離開後天的知識而有所呈現與實踐。

良知之實現（含實踐），雖有賴於外緣，但良知本身仍是其實現的內在的、先天的本質條件或切要條件。因爲如果沒有良知，即使「見孺子將入於井」，也不會有惻隱，也不會有應往救的道德判斷，更不會採取救援的道德行爲。所以，知識雖然是良知實現的必要條件，卻非充分條件。我們不能說後天的知識會賦予人先天的良知。我們也不能說知識（含道德知識）豐富的人，他的良知一定會實現，一定會成爲有道德的人。

也許有人說，有道德知識的人應能實踐其道德，所以不能實踐是因爲有其他因素（如不適當的情欲或意志）的阻礙，道德修養即在排除這些阻礙，並不須要預設某種「良知」。

可是，如果沒有「良知」作爲道德判斷的最後、最根本的依據，就很難正確回答「爲什麼要實踐道德？有道德修養？」「爲什麼要『己所不欲，勿施於人』？」也許有人會說，是爲了自己、別人或社會的幸福。爲了自己的幸福，是功利，不是道德。我們或許可以說「使別人或社會幸福」是道德。但進一步問：「爲什麼要使別人或社會幸福？」就不能說爲什麼了。如果回答說：「因爲別人或社會有了幸福，我才幸福。」這又是以自私爲基礎的功利思想，不是「道德判斷」。而且，當我們要使某人幸福時，有時會損及其他人的幸福。所以用「使別人幸福」這個判準，仍不能單獨來判斷道德。即使是「使大多數人幸福」（這是西方功利主義的倫理原則），卻用不合理的方式損及少數人的幸福，仍然不能算是道德。至於什麼是合理或不合理的方式，這又是「道德的判斷」，其判斷的原則最後還是要訴諸良知之判斷，無法事先一一列舉。

由此可知，道德的實踐有其內在的、先天的條件。惻隱是來自我們的良知、本心、善性。道德實踐，不爲什麼理由，它是來自本性的天生的、無上的義務。這才是自律道德。孟子提出良知、本心、善性的用意在此。王陽明以「致知」的「知」爲「良知」，其用意也在此。

七、厚薄

《大學》說：「自天子以至於庶人，壹是皆以修身爲本。其本亂而末治者，否矣；其所厚者薄，而其所薄者厚，未之有也。」朱子說：「本，謂身也；所厚，謂家也。」這應是拿「家」「國」「天下」來相比，而以家爲厚，以國、天下爲薄。而身又是家、國、天下之本。至於物、知、意、心、身的關係祇能以本末來說，不能以厚薄來說。所以厚薄與本末的含意不同。

「厚」有時指物質方面的充分說，如「厚葬」（《論語．先進》）「厚往而薄來」（《中庸》）。有時指嚴格說，如「躬自厚而薄責於人。」（《論語．衞靈公》）有時指道德的敦篤說，如「愼終追遠，民德歸厚矣。」（《論語．學而》）「敦厚以崇禮」（《中庸》）。《大學》的厚薄，是指情義說，孟子也有類似的用法，如「於所厚者薄，無所不薄也。」（〈盡心上〉）對自己的親人情厚義重，是儒家的一貫態度。

儒家的仁愛是有差等的愛，所以愛有厚薄。這樣的愛合乎自然的情感，也是道德修養的必要根基。因此以家爲厚，以國、天下爲薄，是合情合理。這和《墨子．大取》所謂：「厚人不外己，愛無厚薄。」截然不同。

但是，以家爲厚，也不是爲家的利益而犧牲國、天下；而是對家的情分比國、天下爲重。家是血緣的組合，自然情感深厚。國或天下是政治與文化的概念，比較抽象，理性的成分多些而情感的成分較淡。個人是先生活在家中，當他的社會生活範圍逐漸擴大，才注意到國和天下的存在與價值。所以，就個人的生活經驗與道德成長來說，是以家爲中心，漸次向國、天下開展，這即「以家爲厚」的含意。

孔子周遊列國，便是胸懷天下，不祇著眼於一家、一國利益。但他對自己的祖國總是情義重些。所以孟子說：「孔子之去魯，曰：『遲遲吾行也。』去父母國之道也。去齊，接淅而行，去他國之道也。」（〈盡心下〉）即使「無我」如佛陀，當他聽到自己的祖國釋迦族有難，也是特別盡心盡力去挽救。儒家的愛有差等，豈不放諸天下而皆準？

八、誠意與愼獨

自格物致知所得的知，必須進一步落實爲眞實的意念。意念其實就是行爲的動機，是修養的發起處。當所知與意念相符合時，就稱爲「毋自欺」。這樣，是非之知（良知）或道德的知，才能更具體地發揮指導行爲的功能，才能有眞正的道德行爲與結果。

《大學》以「毋自欺」爲「自謙」。所謂「自謙」，朱子註云：「謙讀爲慊。……慊，快也，足也。」當知與意合時，所知即是所信，沒有任何懷疑或虛欠，心中便有愉悅與滿足之感，就是

「自慊」。《大學》比喻這種知與意完全相合的情形爲「如惡惡臭，如好好色」。這時，由知落實爲意，是瞬間之事，不須勉强，沒有遲疑。如聞惡臭，立刻有厭惡的意念；見好色，立刻有愛好的意念。有這樣眞誠的意念，道德行爲才可能眞實而純粹。

意念不論善惡，都無法掩藏，它終究會顯示在行爲之中，而被人察覺，所謂：「誠於中，形於外」。所以道德修養的關鍵，就在自己所獨知的意念上謹愼戒懼，讓好的意念繁榮滋長，讓不好的意念連根拔起，這就是「愼獨」。

九、正心、修身

如果正確的意念眞誠而維持不墜，則心便能正，修身便沒有問題。但是，人的心不祇是知與意而已，還有情。正確的知與意往往會受情緒或情感的影響，而產生偏差。所以爲了使已有的正確之知、意，在情緒或情感偏頗時繼續發揮指導行爲的功能，必須進一步「正心」「修身」。

正心，是使忿懥、恐懼、好樂、憂患等情緒，不至朝偏頗的方向一味地發展下去，而能讓正確的知、意作心靈的主宰。正心不是不要情緒，而是要避免因情緒的偏執，使正確的知、意失去指導行爲的功能，以至「心不在焉，視而不見，聽而不聞，食而不知其味」。

孔子也很重視情緒對身心修養的影響，如樊遲問崇德、修慝、辨惑，孔子說：「一朝之忿，

忘其身以及其親，非惑與？」（《論語．顏淵》）

正確的知、意發揮指導的功能，能展現在身心的各種活動中，使這些活動符合知、意的要求，這即是「修身」。《大學》在此並未直接談修身的具體原則，其實廣義地說，三綱領、八條目，都是在各個層面提示修身之道。《四書》的內容，也無處不與修身有關。顏淵問爲仁之目時，孔子說：「非禮勿視，非禮勿聽，非禮勿言，非禮勿動。」這樣在視、聽、言、動上都符合禮，就是修身。

十、齊家

「正心」比較强調情緒的調節，它是以自己的情緒爲對象；而「齊家」比較强調情感的導正，乃是以自己對家人的情感爲對象。

《說文》云：「齊，禾麥吐穗上平也。」所以「齊」有「平」的意思。但「平」並不是「平等」而是「平正」或「平治」之意，與「平天下」的「平」相似。《易經．家人彖傳》說得好：「父父，子子，兄兄，弟弟，夫夫，婦婦，而家道正，正家而天下定矣。」「家道正」就是齊家。

「齊家」的「齊」，即孔子說：「道之以德，齊之以禮。」（《論語．爲政》）之「齊」。家是以禮齊之，並非求家人的平等。

家所以不平正，主要的關鍵在個人對家人的情感不正，不正即「辟」（邪僻）。《大學》列舉對人的情感有五：親愛、賤惡、畏敬、哀矜、敖惰，歸納起來即好、惡兩類。因爲情感的偏執，我們往往不能理性或客觀地「好而知其惡，惡而知其美」。偏執的情感，影響我們維持對家人表現正確的知、意。當個人的心、身都合於禮時，他才能以禮待家人，而家才可能「齊之以禮」。所以說：「身不修，不可以齊其家。」

孔子也注意到情感偏執的問題，如子張問崇德、辨惑，孔子說：「愛之欲其生，惡之欲其死。既欲其生，又欲其死，是惑也。」（《論語．顏淵》）

十一、治國、平天下

齊家的倫理是孝、弟、慈。以這些爲基礎，進而能事君、事長、使衆。孝、弟、慈其實都是「仁」的表現。「仁」又表現出「讓」的美德。「仁」的反面是「戾」；「讓」的反面是「貪」。而「貪戾」正是「一國作亂」的機栝。所以《大學》談「治國」「平天下」必歸本於「仁」。這是一種德治與人治的政治思想。它把家族倫理，作爲政治倫理的基礎，並擴大爲政治倫理。

《大學》幾乎有一半的篇幅在談「治國」「平天下」，可見其重要性。而「治國」「平天下」並未分開來談，大體是因爲「治國」與「天平下」的範圍固然有大小，而其基本原理是一樣的。

政治的最高指導原則是「仁」，而「仁」表現的形式原則是「恕」或「絜矩之道」，所謂「所惡於上，毋以使下」「民之所好好之，民之所惡惡之」等等。這樣把政治理想寄託於人性的普遍好惡的成全，而非教條、意識型態或神意，的確是一大智慧。

不過，「民之所好好之，民之所惡惡之」的政治原則，雖然也是現代民主政治的基本要求，但充其量只意味著「民享」，尚未有「民有」「民治」的觀念。

違反人的普遍好惡，「好人之所惡，惡人之所好，是謂拂人之性。」這樣的執政者是「辟」或「驕泰」，終至「菑必逮夫身」。這裡所謂「人之性」是指人類的普遍性，或基本需要，而非人的個性。個性沒有普遍性，不能作爲政治的尺度。人類的普遍需求有屬於幸福的（如「足食」「足兵」），也有屬於道德的範疇（如「信之」）。能滿足人民的普遍需求的，就是「善」「德」，其最高的展現是「欲明明德於天下」。

《大學》認爲執政者須「先愼乎德」。有了「德」作基礎，則在用人方面才能容納賢才、斥退小人；在理財方面才能「以財發身」「財散則民聚」，而非「以身發財」「財聚則民散」「爭民施奪」。而且，執政者自己好仁，自然引發臣下好義而盡忠職守，不用擔心府庫財被盜取。《大學》生財的原則是「生之者衆，食之者寡；爲之者疾，用之者舒」。而現代資本主義經濟主張刺激消費、擴大需求，和「爲之者疾，用之者舒」剛好相反。站在珍惜資源、保護生態環境的立場來看，《大學》的主張是頗具前瞻性的。此外「以財發身」「財散則民聚」的觀念，豈不正符合現代福利國家的理想？

《大學》以「德」爲本，以「財」爲末，「不以利爲利，以義爲利」的治國理念，與現代國家不盡相同。當我們進入後現代及後工業社會時，反省到物質的極度發展，所造成人的異化及疏離，則《大學》可以指引我們一個正確的方向。

《大學》的政治思想有它的優點，政治的確不能離開道德，政治也是道德的一種實踐。但「國」或「天下」與基於血緣關係的「家」相比，到底有所不同，家族倫理和政治倫理因而也有差別。這種差別在宗法制度的政治體制下並不明顯，也不重要。不過，一旦社會轉型，宗法制度不能維持時，政治由家族獨立出來，則政治倫理和家族倫理的差異性便日趨擴大，就不能不予以重視。因此，《大學》以家族倫理擴大，甚至等同於政治倫理的思想，便有必要加以修正。譬如說，在家族倫理中强調權威過於民主；强調義務甚於權利；强調禮序過於平等；强調一致甚於差異……，這些在政治倫理中便須調整。

十二、結語

「大學」就是教我們實現最崇高理想的學問。它告訴我們人生的最高理想，及其實現的步驟。

人生的最高理想是「明明德於天下」，也就是使世界成爲一個有道德的世界。道德是人生的起點，也是人生的終點。《大學》認爲眞正的「利」（幸福），是「義」。換句話說，只有道德才能帶來眞正的幸福，不論就個人或家、國、天下來說，都是如此。有了人生的最高理想，我們的人生才能眞正安頓下來，這即「知止而后有定」。這樣，不論做什麼，都能因目標遠大，克服萬難而眞有所「得」。

《大學》不論在「誠意」「修身」「齊家」「治國」「平天下」，都提到「好」「惡」，這是很值得注意的。因爲修身的關鍵在「意」，而意呈現的明顯傾向，即好惡。而好惡的正或不正，必須依格物致知來判定。因此，知與意的一貫性非常重要。

綜觀《大學》全篇，其特色有如下述：

㈠理想遠大，步驟明確，提供人生一個不斷開展的正確歷程。

㈡《大學》不強調性之善惡的問題，它强調的是「學」，這使它具有平實的性格，也更近於孔子的教法。

㈢重視知識與道德的相關性，避免泛科學主義。雖以道德原始要終，卻非泛道德主義。

㈣重視道德與政治的相關性，使內聖與外王條理一貫，具有深刻的政治智慧。

㈤將終極關懷落在道德與政治的圓滿上（止於至善），沒有形上的預設及神祕的色彩，體現儒學平實而高明之處。

㈥在個人與國之間，重視家的中介地位，很自然地在極端個人主義與集體主義中採取合理的中道。

㈦《大學》生財與理財之道，與現代國家經濟思想不盡相合。但德本財末的理念，確實可以糾正現代化與工業化產生的諸多缺失，爲人類社會指出更合理的發展方向。

最後，將《大學》全篇的思想整理成表，提供參考。

大學表解

欲明明德於天下
- 明明德
  - 格物
    - 知止→定→靜→安→慮→得
    - 物有本末，事有終始→知所先後——→則近道矣（其本亂而末治者否矣）
  - 致知
  - 誠意
    - 小人閒居爲不善，無所不至
    - 毋自欺（如好好色，如惡惡臭）→愼獨→自謙
    - 誠於中，形於外→德潤身→心廣體胖
  - 正心
    - 有所忿懥、恐懼、好樂、憂患則不得其正
    - 心不在焉，視而不見，聽而不聞，食而不知其味
  - 修身→（自天子以至庶人，壹是皆以修身爲本）（苟日新，日日新，又日新）
- 親民
  - 齊家
    - 人之其所親愛、賤惡、畏敬、哀矜、敖惰而辟焉
    - 好而知其惡，惡而知其美
    - 孝——弟——慈（其所厚者薄而其所薄者厚，未之有也）
  - 治國
    - 事君——事長——使衆→仁（讓）→恕→治（先愼乎德）
    - 老老——長長——恤孤；戾—貪→暴→亂
    - 民興孝—民興弟—民不倍
    - 所惡於上毋以使下，所惡於下毋以事上／所惡於前毋以先後，所惡於後毋以從前／所惡於右毋以交於左，所惡於左毋以交於右——此之謂絜矩之道
    - 民之所好好之，民之所惡惡之
      - 得衆則得國—忠信以得之—善則得之
      - 失衆則失國—驕泰以失之—不善則失之
    - 其所令反其所好—好人之所惡，惡人之所好，是謂拂人之性→辟→爲天下僇
    - 用人—唯仁人爲能愛人—寔能容之，人之有技，若己有之
      - 能惡人　人之彥聖，其心好之
      - 不仁者——寔不能容，人之有技，媢嫉以惡之／人之彥聖而違之俾不通
      - 見賢而不能舉，舉而不能先；見不善而不能退，退而不能遠
    - 理財
      - 德本財末—有德→有人→有土→有財→有用
      - 財聚則民散，財散則民聚；貨悖而入者，亦悖而出
      - 仁者以財發身，不仁者以身發財—長國家而務財用者，必自小人矣
      - 生財有大道—生之者衆，食之者寡；爲之者疾，用之者舒
    - 上好仁→下好義→其事終→未有府庫財非其財者也
    - 國不以利爲利，以義爲利
- 止於至善
  - 平天下——爲人君止於仁，爲人臣止於敬，爲人子止於孝，爲人父止於慈，與國人交止於信（君子賢其賢而親其親，小人樂其樂而利其利）

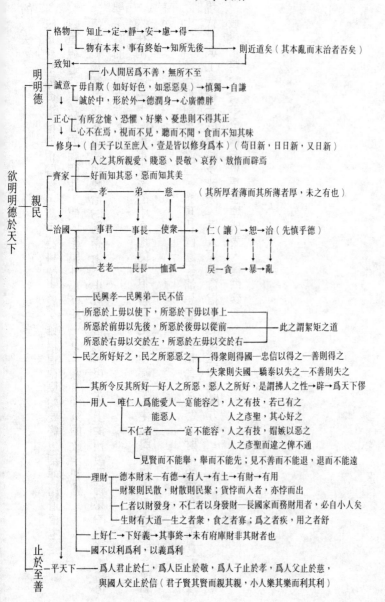

中庸的智慧

中庸的智慧

一、《中庸》的成篇

《史記．孔子世家》說：「子思作中庸。」司馬遷如此說，應有根據。但漢代所見的《中庸》，是否是子思所作的原本，大有可疑。現行《中庸》在思想文字上，時見承襲孟子、荀子之處（請參見附錄拙著〈中庸思想體系新探〉），故其成篇當在荀子之後。而歷來學者也指出，《中庸》若干章雜有戰國甚至更晚的習見用語或思想，顯非子思之筆。特別是《中庸》自第二十一章以後論「誠」，及與天道、人道之關係，極爲高明圓融，應爲先秦儒學發展的最後成果。現行之《中庸》保留了子思的部份原作，而《中庸》最後成篇，應在戰國之後。其成篇之編者無法得知，但《中庸》全篇體系完整，結構清楚，應是完成於一人之手。完成這樣偉大的作品，必然是一位碩學鴻儒，惜未聞其名。或許他在秦暴政之下，隱居以求其志，潛研禮樂，發明儒家高明精微之學，完成此篇。所以《中庸》的成篇，最可能是在秦代。

《中庸》第二章至十九章，大體引孔子之言，闡發「中」「庸」之義。以孔子之道無過不及（「時中」「執其兩端用其中於民」），顯明「中」義；又道不離日用彝常（「人莫不飲食也」「造端乎夫婦」「素其位而行」），以顯「庸」義。第二章至十九章以記言爲主，言簡意約，文體較早；而文義上專闡「中庸」，應是保留了子思所作之《中庸》。

第十九章最後以「治國其如示諸掌乎」作收，乃引起第二十章：「哀公問政」。第二十章雖然也是記言體，但長篇大論，很有組織，且句多排偶，長於修辭，應較晚出。

第二十章末尾，暗用孟子言「明善」「誠身」之義，第二十一章論「誠」「明」即由此出，而爲第二十一章以後論「誠」之引子。

第二十一章至篇末第三十三章，以議論體爲主，只有三處引孔子之言，引《詩》的反而多些。這部份應是後人對子思「中庸」義的進一步發揮。後人根據子思「夫微之顯，誠之不可揜」（第十六章）之義，及第二十章以「誠」「誠之」會通天道、人道之義，作更透徹之闡發。第二十章以「誠」言天人，應本之於孟子，非子思之言，但第十二章言「君子之道，費而隱，……君子之道，造端乎夫婦，及其至也，察乎天地」，則子思已合天人以論「道」了。因此，《中庸》後半篇盛言天人之道，也是本於子思「中庸」原有之義而申論。

第二十一章不止綰合前章孟子之義以言「誠」「明」，並將之迴應於首章「性」「敎」之說，居於全篇樞紐之地位。

《中庸》首章也是議論體，並以「性」「道」「教」來確立「中庸」的義理綱維，深化了子思由「無過不及」言「中庸」之義，將「中」收於心之「喜怒哀樂之未發」處說；又將「庸」用「發而皆中節」之「和」來點化，最後論「致中和，天地位焉，萬物育焉」，明「中和」之道可以貫天人。這些都是後人發揮子思「中庸」的勝義，而置於首章，作爲全篇之綱領。

首章雖然以「道也者，不可須臾離也；可離，非道也。……莫見乎隱，莫顯乎微。」來闡「庸」義，但全章未用「庸」字。完成《中庸》者，似有意要以「中和」來突顯「中庸」之義，這是他的匠心獨運，別具慧心呢！

《中庸》的末章以「知微之顯，可與入德矣」呼應首章；又以「內省不疚，……君子之所不可及者，其唯人之所不見乎」呼應首章「君子愼其獨」之義；以「君子篤恭而天下平」呼應首章「致中和，天地位焉，萬物育焉」之義。而末章末句「上天之載，無聲無臭」，更與首章首句「天命之謂性」首尾迴應。《中庸》章法之嚴整，由此可見。

綜合上述，《中庸》之首章與第二十一章至末章，不論就文體、篇章結構之完整或思想內容之圓熟精邃來說，都有一致之處。而且，歷來學者致疑爲晚出的章句，都出現在這一部分，如第二十四章論禎祥著龜，非儒者口吻；第二十六章「載華嶽而不重」華嶽之喻似秦人或秦代用語，齊魯之人多以泰山喻高山；第二十八章以反古之道將有災及身，孔子寧有此義？而「今天下，車同軌，書同文，行同倫」也是秦統一天下始有的語氣；第三十一章「是以聲名洋溢乎中國……凡有血氣者，莫不尊親。」也與始皇之碑文近似。因此可以推斷這一部分最晚出，其完成之時爲秦代。

二、《中庸》的大意

㈠由「性」見「中」

《中庸》承孟子性善之說，更明言性之本源爲天。人將得之於天的性，實現出來，就是「率性」「盡性」。率性是率循天命的善性，而非「任性」。任性是任從人之個性，個性未必是善。

《中庸》談性之處，見於首章、二十一章、二十二章、二十五章、二十七章，不見於子思所作之第二至十九章。由此可見，《中庸》之完成者，導入「性」之概念（應是根據孟子），用來詮釋子思「中庸」的先天基礎。《中庸》有「德性」「天德」之語，顯然是性善之說，依此《中庸》屬孟子學。

《中庸》云：「性之德也，合外內之道也，故時措之宜也。」在此，《中庸》之完成者，爲子思「無過不及」之「中庸」，找到一個決定「無過不及」的判準，那就是「性」。也就是子思引孔子說「中庸」「反中庸」，其判斷的標準不是外在或後天的，而是內在而先天的「性」。「喜怒哀樂之未發」時，人的本來心性，即是「中」，所以說：「中也者，天下之大本也」。「天下之大本」即「天命之性」。由此大本心性而發之喜怒哀樂，必然「發而皆中節」，即是「和」。所以說：「和也者，天下之達道也」。凡由本性而實現的，必定「無過不及」，因此說「性之德」，能「合外內之道」以達「時措之宜」，這就是「天下之達道」。「達」故與物無忤、無隔，顯「和」之義；「達」即不離日用彝常，顯「庸」之義。

㈡仁與誠

第二十章說「天下之達道五，所以行之者三，曰：君臣也，父子也，夫婦也，昆弟也，朋友之交也，五者天下之達道也；知、仁、勇三者，天下之達德也，所以行之者一也。」「達道」是來自於「達德」，「達德」雖然有知、仁、勇三種，但三種做起來祇是一件。朱子《集註》說：「一，則誠而已矣。」恐怕說得太快了，此「一」指的是「仁」，因本章前文說「修身以道，修道以仁」。

合起來說，是「一」，「一」是「仁」；分開來說，是「三」，「三」是知、仁、勇。到第二十一章起，才正式談「誠」（第二十章談「誠」是本孟子而說）。第二十五章說：「君子誠之為貴。誠者，非自成己而已也，所以成物也。成己，仁也；成物，知也；性之德也，合外內之道也。」在此指出「性之德」是「誠」，「誠」合兩面，內成己爲「仁」；外成物爲「知」。這時說「一」爲「誠」，說「二」爲「仁」「知」，亦可。其實「誠」不是別的，就是「實有其仁」。

第三十二章說：「唯天下至誠，爲能經綸天下之大經，立天下之大本，知天地之化育。夫焉有所倚？肫肫其仁，淵淵其淵，浩浩其天。苟不固聰明聖知達天德者，其孰能知之？」可見「至誠」所實現的天德，即中立而無所倚的「天下之大本」，即「性」即「仁」。「誠」就是「肫肫其仁」。

(三)明與誠

《中庸》雖然主性善由天命，卻也强調「問學」之重要。所以《中庸》說：「君子尊德性而道問學」，《中庸》稱聖人爲「文理密察，足以有別也」，也讚美孔子說：「仲尼祖述堯舜，憲章文武，上律天時，下襲水土」。第二十章言「人之道」時，更提出「博學之、審問之、愼思之、明辨之、篤行之」的綿密修學工夫。

「明辨」是孟子所謂「明善」；「篤行」是孟子所謂「誠身」。二十一章說：「自誠明，謂之性；自明誠，謂之教。」道德判斷（明辨善惡）的根據，是「性」。由本性的實現，而明善。對還不能實現本性，也就是不能盡性或率性的人，須先由「博學」「審問」「愼思」而「明善」，然後才能「誠身」，這是修道的工夫，「修道之謂教」，所以說「自明誠，謂之教」。《中庸》說：「溫故而知新，敦厚以崇禮」。「溫故而知新」是「明善」的原則；「敦厚以崇禮」是「誠身」的原則。

《中庸》指點一般人「誠身」的下手處：「致曲」。《中庸》說：「其次致曲。曲能有誠。誠則形，形則著，著則明，明則動，動則變，變則化。雖天下至誠，爲能化。」「致曲」就是在小事上「實有其仁」，由平實以馴至偉大，就是「君子篤恭而天下平」之道。

㈣誠之諸義

《中庸》說：「誠者，自成也；而道，自道也。誠者，物之始終，不誠無物。」這是「誠」的本體義；「誠之」或「誠身」是「誠」的工夫義；「天下至誠」是「誠」的境界義。所以，「誠」有三層涵義。

此外，「誠者，自成也；而道，自道也。」「溥博淵泉而時出之」，是「誠」之動力義；「不誠無物」，是「誠」之眞實義；「誠則形，形則著」，是「誠」之實現義或形著義；「唯天下至誠，爲能盡其性」，是「誠」之充盡義；「至誠無息」，是「誠」之不息義；「其爲物不貳」「純亦不已」，是「誠」之純粹義。

《中庸》把「誠」的涵義發揮得如此豐富，遠超過孟、荀。而用「誠」以通天人，使儒學臻至廣大高明之境，也是先秦所罕見。說《中庸》爲先秦儒學的最後完成，洵非過論！

以下將《中庸》全篇的思想整理成表，提供參考。

中庸表解

性（中）（天命之謂）		不睹、不聞 莫見乎隱，莫顯乎微 喜怒哀樂之未發，謂之中 中也者，天下之大本 唯天之命，於穆不已 上天之載，無聲無臭，至矣 視之而弗見，聽之而弗聞， 體物而不可遺 天地之道可以一言而盡，其 爲物不貳，則其生物不測 萬物並育而不相害，道並行 而不悖，小德川流，大德 敦化，此天地之所以爲大
道（和）（中庸）（率性之謂）	聖人	致中和，天地位焉， 萬物育焉 舜（大知、大孝） 執其兩端，用其中於 民 文王（無憂） 德之純亦不已 武王、周公（達孝） 仲尼 祖述堯舜，憲章文 武 聖人有所不知、有所 不能 苟不至德、至道不凝 焉 肫肫其仁 唯天下至聖爲能聰明
	君子 ↔	君子之中庸，君子而時中 發而中節者，謂之和 和也者，天下之達道 道也者，不可須臾離也。道不遠人 回之爲人也，擇乎中庸，得一善，則拳拳服膺↓ 君子和而不流、中立而不倚，强哉矯↓ 君子依乎中庸，遯世不見知而不悔↓ 君子素其位而行，居易以俟命↓ 君子之道闇然而日章，淡而不厭，簡而文，……↓ 君子之道費而隱 夫婦可以與知、可以能行 君子之道辟如行遠必自邇……。知遠之近，可與入德
	（小人）	小人反中庸、無忌憚 知者過之，愚者不及 賢者過之，不肖者不 及↓道之不明、不行 人皆曰予知，驅而納 諸罟擭陷阱之中而莫 之知辟也，擇乎中庸 而不能期月守 南方、北方之强 素隱行怪，半途而廢 小人行險以僥幸 小人之道的然而日亡
教（修道之謂）		戒慎恐懼 故君子愼其獨 君子內省不疚，無惡於志， 君子之所不可及者，其唯 人之所不見乎？詩云：相 在爾室，尚不愧於屋漏 凡爲天下國家有九經： 修身↓尊賢↓親親↓敬大 臣↓體羣臣↓子庶民↓來 百工↓柔遠人↓懷諸侯 忠恕違道不遠，施諸己而不 願，亦勿施於人 修身以道，修道以仁，仁者

成己仁也，成物知也，性之德也，合外內之道也 知仁勇三者，天下之達德 誠者天之道也 夫微之顯，誠之不可掩 誠者自成也，誠者物之始終 自誠明謂之性 誠者非自成己而已，所以成物也	睿知…… 聰明聖知達天德者 誠者不勉而中，不思而得，從容中道，聖人也 至誠無息，至誠如神 唯天下至誠爲能盡其性 唯天下至誠爲能經綸天下之大經，…… 聖人之道，洋洋乎發育萬物，峻極於天	君子之道本諸身，徵諸庶民，…… 庸德之行、庸言之謹 君臣也，父子也，夫婦也，昆弟……天下之達道也 誠之者人之道也 君子誠之爲貴 其次致曲，曲能有誠 君子不動而敬，不言而信 君子不賞而民勸，不怒而民威於鈇 君子篤恭而天下平	不誠無物	人也，親親爲大，義者宜也，尊賢爲大 好學→知，力行→仁，知恥→勇 誠之者，擇善而固執之 知微之顯，可與入德矣 自明誠謂之教，尊德性而道問學 明善→誠身→親順→友信→獲上→民治 博學、審問、慎思、明辨、篤行（溫故而知新），敦厚以崇禮

附錄

孔孟的生死觀

最近幾年「生死學」的研究頗爲熱門。傅偉勳教授以「生死智慧」是「現代人切實需要的精神資糧」（見所著〈（禪）佛教、心理分析與實存分析〉一文）。歷來儒家對生死的問題著墨不多。宋儒程明道曾批評佛教說：「聖賢以生死爲本分事，無可懼，故不論死生；佛之學爲怕死生，故只管說不休。」（《河南程氏遺書》第一）姑不論佛教是否怕死生，儒家不想多談生死卻是事實。

儒家不論生死，本無所謂「生死學」。但喪禮是儒家重要的禮制，儒家重視「死」之生命禮儀，殊堪玩味。所以，即使儒家沒有系統化的「生死學」，卻不能說沒有前後一致的「生死觀」——即對生死的一貫態度或信念。以下就根據《四書》的有關文獻，來探討孔孟的生死觀。

儒家對「死」的本身，不作理論性探討的態度，肇始於孔子，請見以下的對話：

季路問事鬼神。子曰：「未能事人，焉能事鬼？」曰：「敢問死？」曰：「未知生，焉知死？」（《論語．先進》）

孔子回答子路說：不知道「生」，怎麼知道「死」？這似乎不能反過來解釋爲：知道「生」的眞相，就知道「死」的眞相。而應進一步詮釋爲：不知道活時該如何自處的人，就不知道死時該如何自處了。因爲人的自處之道，不因生死而有差別。道德人格或行爲，豈能因生死而有所改變。《中庸》記孔子回答子路問「强」，就說：「國無道，至死不變，强哉矯！」有關「死」的問題，孔子重在君子如何面對死亡，而不是在尋求對死亡眞相的解答。在面臨死亡時，人不應改變其原有的操守，這是關於死的道德態度，屬於倫理學的應然問題；至於死亡的眞相、死後的情形，孔子並沒有直接說明，因爲這是宗教學或科學的實然問題。孔子不是宗教家，也不是科學家，他對「死」不作回答，正符合他的知識態度，他曾告訴子路：「由！誨女知之乎！知之爲知之，不知爲不知，是知也。」（《論語．爲政》）

此外，孔子教導子張「學干祿」時說：「多聞闕疑，愼言其餘，則寡尤。」（同上）這雖然是孔子的政治倫理，卻也和他的知識態度一致。

子路感興趣的問題或許是在死亡眞相本身，而孔子回答的重點卻不在此。所以孔子的回答，不能詮釋爲：不知道生命的眞相，就不能知道死亡的眞相。孔子對死亡問題，與其說是宗教取向、科學取向或知識取向，不如說是道德取向。這樣的態度，一直爲後代儒者所遵循。

「死」本身雖難可了知，「生」之事卻是儒學的重心。孔子對人生有極扼要的訓示，他說：

「人之生也直；罔之生也幸而免。」（《論語．雍也》）人的生命是依正直而活的；不正直的生命活在世上，衹是僥倖免於刑罰而已。

如果以「生」與「死」相較，儒家當然肯定「生」的價值。孔子讚美「天」說：「天何言哉？四時行焉，百物生焉，天何言哉？」（《論語．陽貨》）《中庸》也說：「天地之道，可一言而盡也：其爲物不貳，則其生物不測。」能創生萬物，正是天的美德。而人之常情，自然以生爲可欲，以死爲可惡，所謂「愛之欲其生；惡之欲其死。」（《論語．顏淵》）孔子也以顏回「短命死矣」爲「不幸」（見《論語．雍也》，又《論語．先進》）。不過，「生」的價值並非絕對的。君子所追求的絕對價值是道德，這是超過生命價值的。孔子因此說：

「志士仁人，無求生以害仁；有殺身以成仁。」（《論語．衛靈公》）

「朝聞道，夕死可矣。」（《論語．里仁》）

「自古皆有死，民無信不立。」（《論語．顏淵》）

人的價值既然在超越生命的道德上，一個品德敗壞而衰老的生命，不僅沒有生存的意義，還有害於社會。孔子曾這樣嚴責原壤：「幼而不孫弟，長而無述焉，老而不死，是爲賊。」（《論語．憲問》）沒有道德的生命是不值得稱述的，下面一段話是很好的例子：「齊景公有馬千駟，死之日，民無德而稱焉。伯夷、叔齊餓於首陽之下，民到于今稱之。」（《論語．季氏》）

君子不害怕「死」，卻憂慮死時沒有值得稱述的德行，所謂「君子疾沒世而名不稱焉。」（《論語．衛靈公》）因此，君子一輩子好學修德，如孔子之自述：「發憤忘食，樂以忘憂，不知老之將至。」（《論語．述而》）他既不知老，又何慮死！

道德價值的堅持可以超越對生死的好惡，孔子說：「篤信好學，守死善道。危邦不入，亂邦不居。」（《論語．泰伯》）君子好學且篤信善道，至死不渝。但入危邦、居亂邦，白白送死，卻是不智的，這是不好學、不知善道所致。孔子批評子路說：「暴虎馮河，死而無悔者，吾不與也！」（《論語．述而》）子路大約是孔子所謂的：「衽金革，死而不厭，北方之强也。」（《中庸》）這樣的性格，就是不能「守死善道」之類。所以孔子曾擔心子路說：「若由也，不得其死然。」（《論語．先進》）孔子弟子南宮适說：「羿善射，奡盪舟，俱不得其死然。」（《論語．憲問》）羿與奡也是不能「守死善道」的人。

「守死善道」之教，曾子頗能加以弘揚，他說：「士不可以不弘毅，任重而道遠。仁以爲己任，不亦重乎？死而後已，不亦遠乎？」他稱讚「臨大節而不可奪」的人爲君子。曾子自己病重面臨死亡時，所關心的仍是道德修養的問題，他說：「而今而後，吾知免夫！」又說：「鳥之將死，其鳴也哀；人之將死，其言也善。」（以上見《論語・泰伯》）曾子也很重視喪祭，他認爲這與風俗教化有密切的關係，所謂：「愼終追遠，民德歸厚矣。」（《論語・學而》）

「守死善道」的人，是不是都會「殺身成仁」呢？那也未必。孔子說：「民之於仁也，甚於水火。水火吾見蹈而死者矣；未見蹈仁而死者也。」（《論語・衞靈公》）

有關以死效忠之事，死或不死，須視是否有利於人民而定，不死未必是不仁。例如齊桓公殺公子糾，召忽以死效忠，管仲卻不死，子路和子貢都懷疑管仲不仁，孔子卻因管仲輔佐桓公，有利於天下，反而讚美他。（見《論語・憲問》）

孔子雖然說「仁者壽」（《論語・雍也》），但「自古皆有死」，聖人也不例外。人在歷史的洪流中，生命何其短暫，孔子見河水川流不斷，不免興嘆：「逝者如斯夫，不舍晝夜。」（《論語・子罕》）陽貨也說：「日月逝矣，歲不我與！」（《論語・陽貨》）君子與其坐嘆生命的無常，不如珍惜有限的生命，創造不朽的價值。

無論如何，死亡終是無可奈何的事。伯牛病重，孔子感嘆地說：「亡之，命矣夫！斯人也，而有斯疾也。」（《論語・雍也》）顏淵死時孔子悲呼：「噫！天喪予！天喪予！」（《論語・先進》）人的老、病、死，是生命的自然現象或超越的限制，孔子稱之爲「命」或「天」。子夏也說過：「商聞之矣：死生有命，富貴在天。」（《論語・顏淵》）儒家思想係以倫理爲主，死亡之事以不解解之，稱之爲命、天，這多少已有些宗教的意味了。

孔子一生有兩次生命受到威脅，一次是受困於匡人，一次是桓魋欲加害他。但孔子「樂天知命故不憂」（語見《周易．繫辭上傳》），他說：「天之將喪斯文也，後死者不得與於斯文也；天之未喪斯文也，匡人其如予何？」（《論語．子罕》）又說：「天生德於予，桓魋其如予何！」（《論語．述而》）

面對他人的死亡，孔子的態度是「哀而不傷」。孔子認爲對於一切人的生或死，都應以禮相待。孔子說：「事死如事生，事亡如事存。」（《中庸》）又說：「生事之以禮，死葬之以禮，祭之以禮。」（《論語．爲政》）顏淵死時，孔子雖然「哭之慟」，但對顏淵的葬禮，孔子仍依禮不主張厚葬。（見《論語．先進》）

孔子極重視死亡之事。《論語．鄉黨》記載：對無法安葬的朋友，孔子會主動爲他料理喪事。又說：「見齊衰者，雖狎，必變。……凶服者，式之。」〈述而〉篇也記說：「子食於有喪者之側，未嘗飽也。」「子於是日哭，則不歌。」孔子對死亡的看重，不祇表露於言語之間，也顯示於行事之中，是言行一致的。

孔子逝世後，子貢贊其一生說：「其生也榮，其死也哀，如之何其可及也！」（《論語．子張》）孔子死後百年，孟子出而光大孔子之學。

從政治的角度考量，孟子重視人民的「養生喪死無憾」（〈梁惠王上〉）。如就孝子之事親而言，「喪死」比「養生」更值得强調，他說：「養生者不足以當大事；惟送死可以當大事。」

（〈離婁下〉）而在喪禮中爲死者盡哀，乃人性之自然流露，所謂：「哭死而哀，非爲生者也。」（〈盡心下〉）

以道德價值與生死作輕重權衡，孟子有一段精彩的論述，他說：

「魚，我所欲也；熊掌，亦我所欲也，二者不可得兼，舍魚而取熊掌者也。生，亦我所欲也；義亦我所欲也，二者不可得兼，舍生而取義者也。生亦我所欲，所欲有甚於生者，故不為苟得也。死亦我所惡，所惡有甚於死者，故患有所不辟也。……所欲有甚於生者，所惡有甚於死者，非獨賢者有是心也，人皆有之。」（〈告子上〉）

人的好惡抉擇（所欲與所惡），有超過生死的，是因爲選擇了「義」（取義）。道德的抉擇，使人能捨生、不避死。孟子認爲這種「道德心」非賢人所特有，任何人都有。

孟子警告那些不能抉擇道德的人，是自取憂辱與死亡，他說：「苟不志於仁，終身憂辱，以陷於死亡。」「士庶人不仁，不保四體。今惡死亡而樂不仁，是猶惡醉而强酒。」（〈離婁上〉）

孔子說「殺身以成仁」；孟子說「舍生而取義」，都是以道德價值重過生命價值。孟子說：「志士不忘在溝壑；勇士不忘喪其元。」（〈萬章下〉）但是孟子也反對無意義地犧牲生命，他說：「可以死，可以無死，死，傷勇。」（〈離婁下〉）又說：「莫非命也，順受其正。是故知命

者不立乎巖牆之下。盡其道而死者，正命也。桎梏死者，非正命也。」（〈盡心上〉）

人的生命固有其客觀的限制，所謂「死生有命」。不過，盡其道、受其正，卻是主觀可以抉擇的，這是「知命」「正命」。孟子說：「殀壽不貳，脩身以俟之，所以立命也。」（〈盡心上〉）「君子行法以俟命而已矣。」（〈盡心下〉）「立命」「俟命」之道就是「正命」。《中庸》也說：「君子居易以俟命，小人行險以徼幸。」君子「知命」「正命」「立命」「俟命」，是孔子所謂「人之生也直」；小人「不知命」「不受命」「行險以徼幸」或「桎梏死」，則是孔子所謂「罔之生也幸而免」。

個人的肉體生命與事業發展，都有其客觀的限制，這可稱之爲「命」或「天」；但人的道德生命，應不計成敗，盡其在我。孟子就曾勸滕文公說：「君子創業垂統，爲可繼也。若夫成功，則天也。君如彼何哉？彊爲善而已矣。」（〈梁惠王下〉）

孟子也有「樂天」「畏天」之說，他勸勉齊宣王「交鄰國」之道，說：「以大事小者，樂天者也；以小事大者，畏天者也。樂天者保天下；畏天者保其國。」（〈梁惠王下〉）

以儒家之樂天知命，總是相信「順天者存；逆天者亡。」（〈離婁上〉）「順天」的「順」不是一般的逆來順受、委曲求全，而是「順受其正」。因此，儒家肯定人主觀正面的努力，孟子曾引〈太甲〉曰：「天作孽，猶可違；自作孽，不可活。」又引詩云：「永言配命，自求多福。」（〈離婁上〉）他不斷勉勵人重視自己主觀的力量。儒家生死觀的宗教意含較淡，其故在此。

孔孟面對生死的問題，都提出「命」或「天」的概念。但孔孟不走神祕而非理性的解決之道，仍始終堅持道德理性的抉擇，以道德來面對死生之有「命」、富貴之在「天」，這是儒家「居易」之道。當今日科學無法解開生死之謎，而宗教又非人人得以信受時，儒家基於道德理性所提供的生死智慧，可以指引我們一條生命的坦途，實深具時代意義。

（本文原發表於「高中教育雙月刊」第二期，八十七年十月十日出刊）

國家圖書館出版品預行編目資料

四書的智慧 ／王開府著. --再版. --臺北市：
萬卷樓, 民 88
面； 公分
ISBN 957－739－216－4 (平裝)
1. 四書－評論
121.217 88007380

四書的智慧

著　　者：王開府
發 行 人：許素真
出 版 者：萬卷樓圖書股份有限公司
臺北市羅斯福路二段 41 號 6 樓之 3
電話(02)23216565．23952992
傳真(02)23944113
劃撥帳號 15624015
出版登記證：新聞局局版臺業字第 5655 號
網　　址：http://www.wanjuan.com.tw
E－mail　：wanjuan@tpts5.seed.net.tw
承印廠商：晟齊實業有限公司
定　　價：300 元
出版日期：1995 年 11 月初版
1999 年 5 月再版
2005 年 9 月再版二刷

ISBN 957－739－216－4